萧乾 主编

新编文史笔记丛书

第一辑

4

津門史綴

李霁野题

天津市文史研究馆 编

孙竞宇 王大川 陈嘉祥 主编

中華書局

目　录

序 …………………………………… 萧　乾

人物记略

毛泽东观海 ………………………… 张东甲 1
孙中山三临那家花园 ……………… 张寿嵩 3
李大钊与白毓昆 …………………… 葛培林 4
廖仲恺曾两次来津 ………………… 葛培林 6
纪念向警予 ………………………… 高士清 7
宋哲元印书传世 …………………… 李腾汉 9
长寿将军孙连仲 …………………… 李腾汉 11
严范孙举债奉公 …………………… 齐植璐 13
天津旅行家金玉冈 ………………… 章用秀 15
黎震寰和第一部旧中国邮票史 …… 张绍祖 17
张学良在东北讲武堂 ……………… 鲍毓麟 18
冯玉祥妙语解纷 …………………… 陈嘉祥 20
孙菊仙为李伯元理丧 ……………… 曲振明 21
张伯苓戒烟 ………………………… 王翁如 23
聂氏后人谈聂提督 ………………… 张　仲 24

康有为殿试被黜 …………………… 张达骧 26
正直耿介的佟蔗村 ……………… 章用秀 27
万板楼主王青芳 ………………… 曹明贤 29
黎元洪与北塘 …………………… 毕树发 31
段祺瑞在津的寓公生活 ………… 张绍祖 32
王襄的自寿联 …………………… 王巨儒 33

轶事记要

品高艺精　为人师表 …………… 宁书纶 35
跳舞风波 ………………………… 王翁如 36
张勋与堂会戏 …………………… 周骥良 38
“猎捕”议员闹剧 ………………… 齐植璐 39
“进门踹” ………………………… 老　辛 41
张老槐嗜帖趣闻 ………………… 蔡鸿茹 42
鲁迅帮我出版《简·爱》………… 李霁野 43
造字风波 ………………………… 陈嘉祥 44
一场未打起来的官司 …………… 齐植璐 45
白将军写白字 …………………… 靳怀义 46

史实记微

清代科场的截搭题 ……………… 徐家昌 48
林凤祥被俘过津治伤 …………… 林开明 50
废纸堆里救史料 ………………… 李云冲 51
八十年前的一篇“世界无烟日”檄文　齐植璐 53
李景林与杨以德争夺天津县 …… 刘炎臣 55
曹妃甸和天津海关灯塔 ………… 翟乾祥 56

严修、严复被张冠李戴的一段公案
…………………………………… 齐植璐 58
一份珍藏的状纸 ………………… 于 辉 60
戊戌政变小资料 ………………… 徐家昌 62
张献忠与七杀碑 ………………… 游诲方 63
滴水如珠话当年 ………………… 张 仲 64
旧天津用水难 …………………… 顾道馨 66
天津的东洋车 …………………… 陈铁卿 68
无面值邮票 ……………………… 李腾汉 69
红阳教及其他 …………………… 李世瑜 70
道不同不相为谋 ………………… 陈嘉祥 71
“贵为票”和“富有票” …………… 陆文郁 73
日记者报导南营之战 …………… 于 辉 74
鲍毓麟与李大钊安葬 …………… 周骥良 76
天津的回民 ……………………… 张 仲 77
马骏“碰头”和谌志笃“砍手” …… 刘炎臣 79
张作霖赞助孙中山革命
……………………… 鲍毓麟 温守善 81
孙中山与张作霖在天津的会谈 …… 葛培林 82
醇王奕谖巡阅津沽 ……………… 林开明 84
天津旧税局腐政一瞥 …………… 王英奎 86
赛尚阿与大沽防务 ……………… 于 辉 88
脚行·混混儿·青帮 ……………… 李世瑜 89

工商记实

一个银行家的哀鸣 ……………… 刘续亨 91
卞白眉拒向敌特付款 …………… 刘续亨 93

国宝金编钟在津蒙难侧记 ……… 刘续亨 94
一桩“权”“权”交易内幕 ………… 刘续亨 95
褚玉璞敲诈“北四行”八十万元
…………………………… 刘续亨 97
日宪兵逮捕天津金融工商业者
…………………………… 刘续亨 98
天津开埠前后的旅馆业 ………… 杨大辛 99
津门旅馆谈往 ……………… 杨大辛 101
天津旅馆业对革命的贡献 ……… 杨大辛 103
早年天津的“鬼市” …………… 孟寒松 104
旧天津的当铺 ……………… 王槐荫 106
鱼锅伙——旧时天津的鱼行 …… 王槐荫 108
津门老街——估衣街 ………… 张 仲 110
早年天津的竹竿巷 …… 谢鹤声 刘嘉琛 112
陈调甫二三事 ……………… 葛乃昌 114
孙冰如义助卢慎之 …………… 刘续亨 116
永利拒绝英商威胁利诱 ……… 刘续亨 117
一桩改头换面的把戏 ………… 刘续亨 118
五千万法币储备金罹难记 ……… 刘续亨 120

抗战记闻

初闻日本乞降 ……………… 陈嘉祥 122
周作人被刺真象 ……………… 陈嘉祥 124
张作相坚决不当汉奸 ………… 张开达 126
冯玉祥激发官兵抗日 ………… 刘炎臣 127
宋哲元夫人常淑清 …………… 李腾汉 129
佟麟阁夫人彭静智 …………… 李腾汉 131

青年从军时的吉鸿昌 ………… 付二虞 132

耆年记往

歌唱亿万赤子心 ………… 曹火星 134
在宋庆龄身边的日日夜夜 ………… 罗慕班 136
我与鲁迅的一段交往 ………… 赵今声 138
畿辅梦影 ………… 王学仲 140
回忆陈独秀先生 ………… 夏明远 142
我终于找到了柳亚子先生 ………… 于寓真 143
在柳亚子身边 ………… 于寓真 145
汪培娲谈“五四”学运 ………… 游诲方 148
张作霖二三事 ………… 温守善 149
皇姑屯事件亲历记 ………… 温守善 151
忆郭德洁女士 ………… 罗慕班 154
我与吴菊芳 ………… 罗慕班 156
忆峙山 ………… 谌小岑 158
忆张诒孙先生 ………… 卞慧新 159
我和冯玉祥的交往 ………… 刘　芳 161

后　记 ………… 163

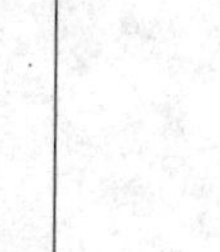

序

萧乾

读书界向来对野史有所偏爱。野史大多是信手拈来的历史片断,且往往出自亲历者之手。文直事核,不虚美,不隐恶,而文笔潇洒自如,意味隽永,自然朴实,篇幅不长;可以摊开来仔细咀嚼,也可供茶余酒后、行旅倥偬中,随手浏览。

鲁迅在《华盖集》中,曾几次对野史表示过好感。在《忽然想到》一文中写道:“历史上都写着中国的灵魂,指示着将来的命运,只因为涂饰太厚,废话太多,所以很不容易察出底细来。正如通过密叶投射在莓苔上面的月光,只看见点点碎影。但如看野史和杂记，可更容易了然了，因为他们究竟不必太摆史官的架子。”又在同书《这个与那个》一文中说：“野史和杂说自然也免不了有讹传，挟恩怨，但看往事却可以较分明，因为它究竟不像正史那样地装腔作势。”

全国文史研究馆所编的《新编文史笔记》丛书，内容也属野史杂说的范畴。我们希望这些以亲闻、亲见、亲历为主的轶事掌故、琐闻杂记，写人、事而摒除误会曲解，述历史而符合真实面目。

作为一种短隽有味，文字清奇而又雅俗共赏的文学体裁，笔记在中国具有悠久的传统。它始自魏晋，盛行于宋代。南朝刘义庆的《世说新语》，北宋沈括的《梦溪笔谈》，南宋陆游的《老学庵笔记》，明朝张岱的《陶庵梦忆》，清朝纪昀的《阅微草堂笔记》以及20世纪30年代初丰子恺的《缘缘堂随笔》，都是文学史上的奇葩。然而，近年来笔记乏人问津。因此，我们出这一套书，也包含着挽回颓势之意。

全国三十二所文史研究馆拥有雄厚的稿源，两千多位馆员和各馆联系的社会人士，都是丛书的撰稿人。他们都是文史界的耆宿，见多识广，阅历丰富：有的反对过帝制，有的在“五四”运动中扛过大旗，他们目睹过军阀的横行霸道，也经历过艰苦卓绝的八年抗战。这些历尽沧桑的饱学之士，他们的所见所闻，都是弥足珍贵的史料。

本丛书分辑出版，分别由各地文史研究馆编辑，内容亦以本乡本土为主。因此，各册势必具有浓厚的地方色彩。

本着笔记固有的传统，所收各文题材不嫌庞杂。举凡与文史有关的政治、经济、军事、文化、社会等方面，或记闻见杂事，或叙往昔交游，或忆社会百态，均在搜罗之列。时间跨度则自清末以迄1949年为止。这正是中华民族从闭关自守到走向世界，从落后羸弱到奋发图强，是天翻地覆、风起云涌的大半个世纪。其间，发生过多少可歌可泣的事迹，涌现过多少杰出的人物。以这一时间跨度为背景题材写出的笔记作品，必然是内容最为丰厚的。

在选稿标准上，我们坚持史料一定要真，内容要新；既要防止以讹传讹，也力避炒冷饭。在写法上务求短小精悍、生动活泼。每篇以千字为度，希望借此在文风方面，提倡一下简约。在版式上，则想做到既利于阅读，又便于携带。

恳切希望文史界方家及广大读者，不吝赐正。

毛泽东观海

张东甲

1979年7月25日上午，为了了解罗章龙和毛泽东年轻时来大沽口观海的情况，我专程来到北京前三门罗老的家。开门的正是罗老。他身材不高，但很结实；年过古稀，却很精神。我说明来意，罗老很激动，在屋里边踱步边谈，有时还用手比划着。罗老的记忆力和谈吐，使我深为惊羡。他向我介绍了当时的情景：

1919年3月，我和毛泽东同志送赴法勤工俭学的留学生去上海。由北京出发，乘坐火车路经天津时下了车。有人提议到塘沽看看大海结不结冰,一呼百应,大家都赞成。

青年人好奇心急。第二天大清早,我们十几个青年人坐早车去塘沽。到达塘沽火车站后,在车站附近一家小饭馆吃饭。饭馆门脸儿很小,里面只有三张桌子。当时饭馆没有米饭,我们吃的是白菜猪肉馅包子,每人吃一盘。吃完饭,我们十几个青年人步行来到大沽口,登上北岸炮台,观望大海和大沽河口。时河口结冰,春寒风冷,我们特地选了背风朝阳的地方围坐在一起,讨论祖国的未来、个人的理想。有人提议以海为题, 每人作诗一首, 我们十几个人都即兴作了诗。我还记得毛泽东同志诗中头两句是:“苍山辞祖国,溺水投邻村。”

来塘沽时毛泽东同志带了个大提包, 临回去时他叫我们在海边拾贝壳,拾了满满一提包。装满贝壳的提包很沉,大伙轮流抢着提。快到塘沽火车站时,毛泽东同志说:“我有力气,提包我来提。”毛泽东同志人高力气也大,提着提包不费劲。塘沽火车站的军警瞧见毛泽东同志提的提包鼓鼓囊囊,起了疑心,认准是走私的东西,非要检查不可。毛泽东同志故意不让检查,军警疑心就更大了,抢过提包拉开,一看里面都是从海边拾来的贝壳,就直了眼,半天没讲一句话。我们和毛泽东同志一起大笑起来。

孙中山三临那家花园

张寿嵩

孙中山先生在武昌起义后，曾三次到过北京的那家花园。

第一次是1912年8月29日上午十一点，国务院总理陆徵祥、内务部长赵秉钧等以国务院名义在金鱼胡同前清内阁协理那琴轩宅(那家花园内)开会欢迎孙中山，孙中山与会并致答词："今日蒙诸君雅意款待，至可感谢，惟望诸君辅佐袁大总统以奠民国初基，鄙人实有厚望。"第二次是1912年9月3日下午五时，满族同进会与蒙古联合会同在金鱼胡同那琴轩宅聚宴欢迎孙中山，孙中山先生与会。第三次是1912年9月11日清皇室在金鱼胡同那琴轩宅设宴会欢迎孙中山和黄兴二位先生。贝子溥伦致词："孙、黄二君皆今日中国非常之人，故能建非常之业。此次国体更新，共和成立，皆孙、黄诸君数十年鼓吹之功。我皇太后、皇上鉴于孙先生之仁德，且深信共和政体为20世纪大势之所趋，毅然退位，赞助共和，实为民国之福。今日得与诸君欢聚一堂，共谋幸福，何快如之。更望以后实行五族平等，巩固国基，即我皇族诸人亦承受其赐矣。"黄兴答词："此次改建共和政体，实为顺大

势之潮流,又得孙先生数十年鼓吹诱导之力,故能人心一致,全国赞成。然非隆裕皇太后之明哲及诸公之辅佐,成功绝不能如此之神速,故此次改变国体, 破坏无多……” 这三次盛会在1912年的《正宗爱国报》上均有刊载。这三次欢迎孙中山先生的盛会,我祖父那桐(号琴轩)因正患中风均未出面。后两次欢迎会,我父亲绍曾以那家花园主人和满族市民身份在场。

李大钊与白毓昆

葛培林

1907年至1913年,李大钊在北洋法政专门学校(今天津市河北区志诚道三十三号)读书。当时的史地教员白毓昆, 在思想上曾给予李大钊有益的指导, 在李大钊由立宪派转为革命派的过程中起了一定的作用。

白毓昆(1862—1912),字雅雨,号铣玉,江苏通州(今南通)人。1908年被聘为北洋法政专门学校、北洋女子师范学校(今天津市美术学院)史地教员。在津创建“天津共和会”、“北方革命协会”,从事推翻清廷的革命活动,是辛亥革命时期滦州起义的烈士。

1910年11月,天津学界要求清政府开设国会,实行宪政。当时李大钊作为法政学校的学生参加了罢课活动。白毓昆说,在中国目前的条件下,要变法、维新、立宪,都是不可能的。请求清政府开国会,只是“与虎谋皮”。这使李大钊的思想认识逐渐由立宪倾向革命。

当时白毓昆非常关心李大钊的思想进步。李大钊对白毓昆也很尊重,课后常和同学一起邀请白老师讲评历史掌故。师生融融一堂,常至深夜。白毓昆也常有意安排李大钊参加一些时事讨论等进步活动。

1912年1月,白毓昆在滦州起义中任参谋长,不幸被捕就义,这更激发了李大钊献身革命的意志。在以后的岁月里,一当触景生情,李大钊便念及曾给予他帮助和影响的白毓昆老师。1917年5月9日李大钊在《甲寅》上发表的《旅行日记》中说:“天将破晓,过雷庄猛忆此为辛亥滦州革命军失败之地,白雅雨(即白毓昆)先生、王金铭、施从云二队官及其他诸烈士,均于此地就义焉。他日崇德纪功,应于此处建一祠宇或铜像以表彰之。”1919年8月31日,李大钊在《新生活》第二期上发表的《五峰游记》中说:“我们那晚八时顷,由京奉线出发,次日早晨曙光刚发的时候,到滦州车站。此地是辛亥年,张绍曾将军督率第二十镇停军不发,拿十九信条要胁清廷的地方。后来到底有一标在此起义,以寡不敌众失败,营长施从云、王金铭,参谋长白雅雨等殉难,这是历史上的纪念地。”1923年12月30日,李大钊在北洋法政专门学校礼堂庆祝该校十八周年的演讲中说:当时“给白先生开追悼

会，就在这个礼堂上，那追悼白先生挽联的字句，今天我来在这礼堂上，还仿佛有人念给我听。”可见，李大钊对老师白毓昆的怀念之情多么深厚、真挚。

廖仲恺曾两次来津

葛培林

为了推翻清政府，建立中华民国，廖仲恺受孙中山的委派，曾于1906和1908年两度来津从事革命活动。

孙中山于1906年春由南洋返回日本，停轮吴淞时，恰逢法国驻华武官布加卑来见，表示愿意帮助中国革命。孙中山到日本后，遂命廖仲恺回国开展革命活动，赴天津设立机关，和法国社会党人布加卑联络，发展北方革命势力。对此，孙中山在1919年春所著《建国方略·心理建设》中回忆说：

> 当时外国政府之对于中国革命党亦多刮目相看。一日予从南洋往日本，船泊吴淞，有法国武官布加卑者，奉其陆军大臣之命来见，传达彼政府有援助中国革命事业之好意，叩予革命之势力如何，予略告以实情。又叩以各省军队之联络如何？若已成熟，则吾国政府立可相助。予答以未有把

握。遂请彼派员相助，以办调查联络之事。彼乃于驻扎天津之参谋部，派定武官七人归予调遣。予命廖仲恺往天津设立机关。

当时廖仲恺正在日本东京早稻田大学学习，还没毕业，但他为了革命需要，立即停止学习，奉命回国，赴天津与布加卑联系，筹设机关。他动身时，夫人何香凝赋诗送别。这份珍贵的手迹现藏天津市历史博物馆。诗云：

国仇未复心难死，忍作寻常泣别声。
劝君莫惜头颅贵，留得中华史上名。

廖仲恺在津完成任务后，回日本转中央大学三年级继续学习。当时，同盟会在江西的萍乡，湖南的浏阳、醴陵，广东的惠州(今惠阳)，广西的镇南关发动的武装起义先后失败。孙中山便思在北方筹划起义，于是在1908年派廖仲恺到吉林做起义的准备工作。他先由日本到天津，然后到吉林，在吉林巡抚陈昭常幕下任翻译，秘密进行革命活动。

纪念向警予

高士清

民国初年，我遵父命入湖南省立第二女子师范学校就读。不久，二女师、三女师并入由徐特立先生任校长的长沙古稻田第一女校。随校

到长沙时，向警予已随朱剑凡校长离开第一女师，转学于朱先生自办之周南女校。后警予得知余为溆浦故乡人，遂来校探询，勉励我为学修身之道，要立大志放眼四海，更谆谆教导力求解放数千年妇女之枷锁，是我辈的责任。春风化雨之德泽不能忘怀，诚我之良师益友也。

暑假届临，邀归故里省亲。溯资水而上，舟中目睹她生活有则及治学勤奋之精神，令人感佩。晨曦破云，警予已推开舱门锻炼身体。舱房仅一席之地，她架板为案，伏首书写，未尝间断。习业之余，戏语乡土俚俗，表情维肖，引人捧腹，是以旅途从无烦闷之感。

警予于周南女校结业后，返归故里，以大无畏之精神，创办县立女校。湘西一隅，昔为五溪地区，道路险阻，民风陋塞，妇女尤甚。警予跋山涉水，奔走于穷乡僻壤，穿门串户，苦口婆心作劝学工作。因资金短缺，难以建造校舍，乃数呈县府，商拨城西文昌阁节孝祠，权作校址，稍加改建，分置礼堂、办公室、教室、宿舍，遂粗具规模。后购校侧柑园，建楼房一幢，作为教学用室。斯时县中仅警予一女教师，乃敦请同学襄助校务。学校设刺绣、缝纫二职业班，分设高、初级二部。警予计划周详，循循有序。每天课前举行师生朝会礼，她训导学生为学敦品之道。于上课时，巡行各教室，见一善辄表扬之，其不端者则训诫之，是而诸生敬之畏之。逢国家纪念日召开大会，必登台讲演，侃侃而谈，振聋发聩，邑人誉为女中铮铮人物。她见街道脏污，秽物遍地，组

织学生每周日上街打扫，以身作则，首先举帚，一面扫除，一面宣传卫生要义。

余于师范结业后回县服务。时警予立志再学，已赴长沙筹备赴法勤工俭学事宜。警予由法回国，国难未已，波谲云诡，奔走南北各地，呼号革命，拯救中华，推动妇女运动，操笔投书，忘我为人民，竟被凶恶之敌于 1928 年 5 月 1 日杀害，就义于汉水之阳，时年仅三十余，壮志未酬身先逝!

客岁由昆明北上，道出浙省，亲朋劝少留，不觉离乡背井，屈指四十余春矣。顺归故里，闻警予纪念馆建于城西，瞻往拜之，凄凄切切久之，缅怀昔情，慨当以歌：

淑水悠悠去如驶，文昌歌声传遐迩。
汉阳沥血千古恨，卢峰凝碧照青史。

宋哲元印书传世

李腾汉

人们都知宋哲元是抗日民族英雄，是一员武将，殊不知宋哲元也是一位儒将，对弘扬祖国文化亦极为关心。1935 年至 1937 年，宋哲元在主持察哈尔省政及稍后一个时期，为弘扬我国传统文化，先后在张家口及北平聘请一些耆儒名宿，设馆编书修志。陆续编印了《四书新编》、

《论孟》、《察哈尔省通志》、《历代创制圣哲画传》、《儿童德育歌》，并影印了《佛藏全经》、《管子》等，分发或赠与同僚、部下、亲友和有关部门。所用纸张和印刷、装订都很考究。

其中印数最多的是《论孟》和《四书新编》。该两书既取《四子书》和《孟子》原文，又附白话译文和评注。均系袖珍本缩印，比纸烟盒略大，便于携带。《四书新编》的内容丰繁，分上下两册，外有硬纸套盒，二十九军连以上军官各发一套。《论孟》则为一硬皮小薄本，排、班长和士兵人手一册。

印数最少的是《佛藏全经》，仅印四部(每部五千余卷)，分赠各大佛寺收藏。系以《大藏经》为蓝本编纂的一部佛经巨著。事为靳云鹏所闻，以为宋哲元也崇尚佛法。当宋来津时，便托人请宋赴宴，遍请天津佛教名流作陪，准备效法戴季陶、段祺瑞在杭州灵隐寺举行的“持轮金刚法会”，在天津佛教居士林以“祈祷拜佛解救国难”，并拥宋以号召。但宋对此很不以为然，笑谓：“我印佛经，是恐这部佛学宏著失传，谁想以佛法救国呢?打日本侵略者靠的还是大刀片！”于是婉言辞谢，靳云鹏筹划的这次佛宴也告流产。

《管子》系根据一明版影印，线装大字足本，一函四卷，共印一千部。

《历代创制圣哲画传》和《儿童德育歌》，均为图文并茂的图书，前者为八开道林纸大本，彩色精印，从盘古、炎黄、孔、孟、关、岳，到巧匠鲁班，罗列二十余人，均有工笔彩绘全身图像和文字介绍；后者是平装本，内含具有教育意义的白话儿歌三十九首，都配有插图及文字说明。

《察哈尔省通志》是记述察哈尔省地域、山川、物产、风俗、政教、赋税、民生、军旅、法制等方面的历史沿革及30年代现状的地方史志。资料丰富，内容翔实，是察哈尔建省以来第一部最完整的通志。由该省通志馆联合各县分馆，经过一年半的调查研究，编纂而成。该通志共二十八卷，由大城梁建章总纂，成书于1935年6月。

宋哲元对所印各书都亲为作序，说明出书宗旨，无非是借传统文化作号召，用来统一人心，启发和激励民族精神，自强富国，御侮救国一类的话。

长寿将军孙连仲

李腾汉

1990年8月14日，国民党抗日名将、曾在台儿庄战役任主要指挥官并立过赫赫战功的孙连仲，因肝癌不治于台北病逝，终年98岁。他是原西北军高级将领中最后一个离开人世的长寿将军。

据有关资料统计：孙连仲比他的老长官冯玉祥多活了42年。比当年和他配合默契、在临

沂之役痛歼强敌、为台儿庄大捷奠定了胜利基础的张自忠多活了50年。如果说,1948年冯将军之死是出于轮船失火的意外事故,1940年张将军又是在抗日战场上壮烈牺牲的，都不能和他的安享天年相提并论的话，再看因病逝世的其他西北军出身之抗日将领们的生卒年月,更可证明孙连仲确系他们中间独一无二的老寿星了。他比自己的儿女亲家、1940年病逝四川绵阳的宋哲元,整整多活了半个世纪。比终年54岁的冯治安，多活了44岁。比终年70岁的秦德纯,多活了28岁。比终年80岁的刘汝明,多活了18岁。比终年83岁、寿数较高的石敬亭,也多活了15个春秋。

孙连仲的原配苏兆兰，早于50年代初去世,继娶罗毓凤,也于80年代初病故。孙老先生生前五世同堂,后裔四五十人,绝大部分旅居海外,其中多人曾回大陆观光、旅游或洽谈贸易。

孙连仲的养生秘诀是怎样的呢?据1988年春和1990年初夏两度来津探亲的孙连仲的长子、长媳，年逾古稀的孙湘德和宋景宪夫妇介绍:孙老先生所以能享高寿,和他的心胸开朗,为人谦和,不爱着急、生气有很大的关系。他在1949年去台后,虽退居闲散,也从不把个人得失放在心上,常常以打网球为乐,创台北软式网球协会,任会长数十年,并参与创建台北高尔夫球场，发起高尔夫球协会等。他除了爱好体育运动,长期坚持锻炼外,平时的生活也很有规律。每天早起早睡,三餐简单而注意营养,饮食定时定量，不沾烟酒，一直保持着西北军比较艰苦朴素的老传统。这些都是孙连仲能够成为长寿将军的重要因素。

严范孙举债奉公

齐植璐

自古崇廉吏，极而言之，纤尘不染，宦囊如洗，已可以说矜式群伦，流芳后世了。乃更有进者，竟举债以奉公，贴本而作官，那就更是凤毛麟爪。天津严范孙，就是这样一位贤哲人物。

严范孙为晚清翰林，曾作过三任官，即贵州学政、直隶学务处督办和学部侍郎。其中除督办学务任所系在梓里，其贵州、京都二任都是负债累累而归的。

甲午年(1894)严范孙受任贵州学政，迢迢五千里征途，虽轻装简从，却携去九流四部齐备的书籍十四大箱，以备黔中士子阅读。抵黔之后，筹立官书局，刻印书籍，因资金不足，自己又捐资千金以助成之。他又创办了黔省的第一所学校——经世学堂，输资购置中西书籍八十余种，供诸生研习。他首倡招试算学生童之创举，对学堂就学的生员，也创设算学课，每月考课一次，择优重奖，以开风气。这样一笔又一笔地出资购书、作奖金，自然所费不赀。正像他在日记中所

说:“使黔一行,用财亡度,致成债帅”,结果,“书券二纸,假八千缗,又两千金于益厚堂”,合银四千两。

严范孙在学部任职四年,购买自学书籍和对公益捐款,资助亲友,千金不吝,因此,卸任归来,又负债银二万二千余两,银元一万八千余元,结果向交通银行以八厘五年息,借银三万两还债。在那“无官不贪”的旧时代,他却作了两任赔本的高官,这种高洁行为,实在令人景仰。

严范孙不仅贴本作官,而且把自家绝大部分家产用于兴办教育事业。南开学校在他家里开办时,头一年每月经费银二百两,由他和王奎章两家分担。第二年即全由他一家负担,如是有数年之久。南大成立后,他还先后捐款、捐地共计二千美元与一万八千元。到晚年,还在南大设范孙奖学金,曾以七千元资助周恩来、李福景二人出国深造。后来,周恩来在法国加入共产党,因此有人向严进谗,劝其停止资助,严则以“人各有志”为由,对周资助如故。严范孙正像周恩来所说:“范老一生为人,好像一杯清水,纯洁无染。”这样的高尚品德和风范,确实值得大书而特书。

天津旅行家金玉冈

章用秀

明朝末年，南直隶江阴出了个“驰骛数万里，踯躅三十年”的旅行家徐霞客。清乾隆间，天津也出了位“南船北马遨游遍”的旅行家金玉冈。这位无意仕进、寄情壮游的金先生，虽不及徐霞客蜚声中外，却也对山川景物“无不探奇缒险”，而又精于诗文、书画和金石考据，向为天津士林所敬重。

金玉冈(1709—1773)，字西昆，自号芥舟，晚号黄竹老人。其祖业盐起家，家资丰厚。玉冈遍览书史，青年即有“未随野鹤千年别，且伴孤云万里游”之志。及壮，“以家事付诸弟，一杖、一笠、一仆，负袱被，恣情名山邃谷间”。曾登上方山，七游田盘，四次往来于齐、鲁、吴、越，遍访大江左右诸胜。若泰岱、嵩高、太华、黄山、九华、天台、雁荡，罔不缒险探幽，尽窥其奥。又渡海至普陀，瞻大士像；西出嘉峪关，眺祁连积雪，历青海、西藏；轻身浮海，由沈京至姑苏。乾隆二十一年(1756)，族人金质夫谪戍辽东，他慨然同行，又得以东渡鸭绿江，越长白。友人郑熊佳官广东，他思作罗浮之游未果，旋随往羊城。五年后，客死于电白。

金玉冈在多次艰难游行中，以诗文记载各地胜境和风土人情，著有《田盘纪游》、《天台雁岩纪游》、《浮槎集》、《岭南草》、《黄竹山房诗抄》等。《游雁荡记》一文用二千六百多字，对一山一水追根溯源，详细记述当时雁荡之地质风貌，是文道光年间即被收入《津门古文所见录》。金玉冈平生作诗二千余首，其内容亦多得于登危岩、攀峭壁、涉激流、探邃洞中。如《入房山境》中“山或有时隐，云偏作态多”句，《大明湖》中“微风莲叶新，疏雨苇花声”句，皆刻画入微，清新传神，为今人研究清中前期各地地理风物提供了可贵的资料。

玉冈尤精于绘事。他每到一地，皆出囊中纸笔，对景描绘。江浙、岭南、东北、西北佳境胜景多跃然于其画上。津人郭师泰称：玉冈游至某洞，见数十猕猴围之。先生为一老猴绘像。老猴若有知觉，驱群猴散去，与先生静对。绘毕，出山果以酬。此事未必见实，然玉冈四处写生，务探奇妙，确是无疑。故“其所画峰峦天成”，有清初清幽淡雅之画风，又倾注其真切感受。所绘尺幅片纸，人争索之。时乡人乔耿甫《与金芥舟先生书》云：“耿甫之慕先生盖非一日矣。往者窃见先生为王君学诲作《秋槎图》，望洋溟渤，咫尺百里；为故陈翁绩作《荷锄小照》，长松怪石，野趣森发，题咏含蓄古朴，各肖其人。意甚爱之，不能忘也。”委婉陈辞，旨在乞画。事隔二百多年，先生绘画殆不多见。惟天津艺术博物馆收藏《山居图》一轴，从款识看，乃作于岭南电白官舍，似晚年力作。大山下，一老翁，一童仆，墨色淋漓，大气磅礴，果然气度不凡。

后代学人梅成栋称他“宇宙不可没之人”，乔耿甫称他“天地间奇人”，不为过矣！

黎震寰和第一部旧中国邮票史

张绍祖

我国著名集邮家、邮学家黎震寰先生于1990年1月4日逝世，生前我多次向黎老请教，其音容笑貌时时浮现在我的眼前。先生字猷尚，广东南海人。1903年生，幼年定居天津。1924年开始集邮，是我国中华、新光、甲戌邮票会永久会员，也是无锡、北平邮票会会员，又是天津邮票会发起人和创办人之一，并担任《天津邮刊》编辑。1937年1月，黎设计了我国第一张彩色的邮票明信片，由郑州《甲戌邮刊》社印刷发行。是年3月，在黎的积极参与下，在津举办了华北地区第一次邮票展览。

黎老在集邮中，深感无书参考之苦。当时有关中国邮票的专著都是外国人写的，多是外文，错谬甚多。他认为中国邮史，应由国人自编，岂能容他国人越俎代庖。于是，他发愤收集大量邮书邮刊和有关资料，能买到的不惜重金；买不到的，就设法借抄。经过十多年的艰苦努力，积聚

邮书、邮刊三千多种，作出分类卡片二千多张，于 1942 年 1 月出版了《近代中国邮票图鉴》，获得各方好评。在此基础上，于 1943 年 8 月编成我国第一部旧中国邮票史《中国邮票图鉴全集》，并在天津出版发行。此书包括 1878 年海关大龙票起至旧中华邮政在抗战期间发行之票止，所有各版票的发行历史、种类、版别及一切有关资料应有尽有。

新中国成立后，黎老于 1950 年 9 月编写了新中国第一部邮票书——《中国人民邮票图鉴》，向国内外发行。翌年，他还设计了我国第一部邮票月历。

张学良在东北讲武堂

鲍毓麟 口述　李秀嫣 整理

1919 年，东北讲武堂成立，这是张作霖为培养精锐的正规军而建的一所军事学校。校址在沈阳市大东边门外，邻近兵工厂。张自任堂长，熙洽为教育长，教官有郭松龄、郭鼎九等。学员都是从各师、旅、团选拔出的排长以上优秀青年军官。

讲武堂设五个学科：步兵科、骑兵科、炮兵科、工程科、辎重科。学制一年半。我学的是步兵科，张学良因喜爱炮兵选学炮兵科。讲武堂占地约近百亩，除营房、办公室、伙房外，就是操场。每周训练六天。早五点起床，五点半集合跑步，七点早餐，八点开始上课、练武、打靶。午睡一小时，下午继续上课至六点。晚餐后自由活动，包括洗盥之类。活动皆以军号指挥。伙食是馒头、白菜、粉条、豆腐等。每周六改善伙食，吃鱼、肉，但不准饮酒。学员在校期间，一律带原薪，穿军装，不戴符号。皆穿灰布军衣，打裹腿，黄帆布鞋，冬天改棉靴。外出不许下饭馆、进戏院。周日返校有规定时间，稍迟到，即禁闭一至二天。受训期间，生活非常艰苦。我的宿舍对面即张学良的宿舍，他和我堂弟鲍英麟同住一室。英麟是学良的姐夫，他们的宿舍挨近郭松龄的办公室。郭曾留学日本，回国后，主张学习东洋，属新派人物。学良对他很推崇信任，两人交往甚密，军校大权逐渐听任郭松龄掌握指挥。时学良仅18岁。回忆当年我们还都是一群年轻孩子，只勤于练兵习武，有民族正义感，却缺乏实际生活经验，比较幼稚。学良禀性爽朗活泼，兴趣爱好广泛。他意志坚强，受训时刻苦耐劳，操练回来，往往滚得一身泥土，与同学们都能打成一片。课余，大家一起说说笑笑，高谈阔论，论题中心不外是如何爱国、使祖国富强等。当时我们对强盛的邻国日本怀有戒心，习武的目的大都为了日后抗击外来的侵略。

那时的文娱活动不如今天丰富。同学中偶然有谁能吹箫、作诗、作画，就使大家非常赞赏，被认为是文武全才了。学良当时风华正茂，仪表

潇洒，具有军人的英豪气质，所以大家都愿和他接近，而他本人也平易近人，待人坦率热诚。他脾气虽急，但笑意常挂在嘴角。他会变戏法，课下常表演给同学看，时常惹得大家阵阵哄笑，注视着猜解其中奥妙。张学良此时的生活全和我们一样，毫无特殊。

他的毕业考试成绩优异。他是个有气节的青年。张作霖死后，东北政局内忧外患，他能排除日本帝国主义的种种阻挠，毅然易帜，实现了南北统一，这在中国近代史上是一件重要大事，表现出他的凛然正气！

如今海峡两岸，人远情近，我们都已白发苍苍，年过九旬，诚望能有一天再得重聚。

冯玉祥妙语解纷

陈嘉祥

1943年初，冯玉祥在四川成都应陕西街卫理公会之请，向该会教友讲述其年来在各地为抗战救国、发动各界节约献金运动之经过与收获时，曾述及一桩趣事。据称：某日，彼在泸州发动各界举行献金大会刚刚结束，由会场返回住地时，突有一老者俯跪其前，连呼救命不止。冯急将老者扶起，问以原委，老者气急败坏，高腔大声称：“我有一子，日前被保甲抓去充当壮丁，故前来求救。”冯曰：“汝不欲汝子当兵耶？”老者连声称是。冯又问曰：“如果改令汝子当官如何？”老者有些气恼，愤呼：“莫开玩笑！”冯曰：“果真有机会，令汝子于未来当官，汝意如何？”老者将信将疑，曰：“自是求之不得！”冯乃笑曰：“余目前为军委会副委员长，原乃当兵出身，汝如盼汝子于未来能成大官，则应令其今日安心当兵，不从士兵做起，将来如何领兵带将？”老者闻后，张口结舌，无言以对，双目眨眨，默然而退。

孙菊仙为李伯元理丧

曲振明

孙菊仙，天津市人，为清代著名的京剧须生演员。他不仅艺术高超、演技纯熟，且慷慨尚义，凡水旱赈灾，养老恤孤之事，均乐为之，至老不疲。其中为晚清著名小说家李伯元(宝嘉)料理后事一则，最为士林所称道。

鲁迅在《中国小说史略》第二十八篇《清末之谴责小说》中写道，李伯元光绪“三十二年三月以瘵卒，年四十(1867—1906)，书遂不完；亦无子，伶人孙菊仙为理其丧，酬《繁华报》之揄扬也”。

事情是这样的：李伯元在上海继《指南报》、

《游戏报》之后，于光绪二十七年(1901)又创办了《繁华报》。此报系消闲性小报，李伯元精于戏剧研究，他开辟的栏目《梨园志》在戏剧界颇有影响。李伯元常对孙菊仙的演技大加褒奖，孙菊仙读罢大有知遇之感，从此二人结下了金兰之好。

李伯元在上海的十年(1896—1906)，著作极多，莫不殚精竭虑，消磨心力，积劳成疾，当其致力于撰写《官场现形记》、《活地狱》时，遂病不起。孙菊仙得知消息后，寝食不安，每日都到病榻前探问。李伯元在上海的花费很大，日久，既无积蓄且负债累累，甚至连挚友吴趼人的二百大洋也无力偿还。及李伯元弥留之际，孙菊仙与之执手相视，恸哭不已。孙菊仙说："君放心，我自有调度。"言罢，从靴页内取出银票三千元，置席上，继而忍哭颤声说："以千元作君身后之丧葬，以二千元作君家之抚养。"李伯元死后，孙菊仙亲送其灵柩及眷属返回原籍常州。

李伯元在世时虽交游甚广，但身后事却无人过问，李家人又请孙菊仙出面料理。孙菊仙出具请帖，约百余人聚于上海一西餐馆，当场拍定二大事：一是《繁华报》由孙菊仙先垫款承顶，继续开办；二是李伯元死后，坊间私自改版翻印《官场现形记》问题，这次由孙菊仙作主，将版权连同原印成书作价三千元，一并售予一书馆。

张伯苓戒烟

王翁如

教育家张伯苓(1876—1951)早年是北洋水师的学生,他是我国近代著名的爱国教育家,南开学校的创办人。

有一次他在操场的角落里看见有个叫刘文伯的学生抽香烟,便马上把刘文伯找到校长室来训斥:南开学校是不允许学生抽烟的。抽烟是恶习,沾染上就除不掉了!学生正在读书时候,抽烟浪费钱,荒废学业,损害身体……

这个学生站在那里,一转眼看到校长的办公桌上,摆着的烟碟里放着多半颗雪茄,还有个玳瑁的烟嘴,便说:"校长的话很对,谢谢校长的教育,我一定改,从此不抽烟!学生来学校,不只学老师的学问,也学老师的行动和其他一切!我本来不会抽烟,到这里看到有的老师抽,我……"

张氏恍然大悟。于是他站起来,说了一声"好!"便把烟碟中的雪茄和烟嘴扔进痰桶里。

从此,张伯苓再不抽烟。于戒烟小事,亦见身教之要也。

聂氏后人谈聂提督

张　仲

1900年7月9日，在抗击八国联军时负伤阵亡于天津八里台的聂士成，究竟生于何年？《辞海》、《中国近代史辞典》都是一个"？"。

我曾于六年前为此事采访聂的孙子继勋、曾孙先辉两先生。他们说："大约活了六十四五岁。"最近就此再次核询，他们断言活了六十五岁。按传统的计岁方法，应定聂士成生于1836年，即清道光十六年。这回答了中国近代史上一个疑问。

据聂士成后人说，他原籍安徽合肥，家无半分土地，年轻时投入淮军袁甲三部当兵。在甲午之战、刘铭传保卫台湾之役，聂都身先士卒，一步步升为提督。他爱民爱兵，发放军服兵饷，他旁坐监督。在芦台统率淮、练二军，纪律严明，秋毫无犯，芦台百姓为之修了"聂公祠"。

聂士成虽为雇农出身，但从戎后注意学习文化和近代军事知识，曾编写有《东征日纪》、《东游纪程》。我在十年浩劫中被攫去他的一本著作，书名已忘，系用测量方法，列表记载从山海关到朝鲜的驿站里程，非常翔实。我一直引为憾事。可见其成为名将绝非偶然，他对东邻之患早有提防。

聂氏注重家教。八国联军侵津，聂部武卫前军于小营门、跑马场全力抗击，聂士成集合家人说："打仗报国是我职司所在，此去只有一死相拼!"八里台桥头，子弹雨下，他不动如山，身受七处枪炮伤，最后腹破肠出而亡。尸体由哨官张林背回，埋葬于合肥原籍。遗物有描金红皮箱一个，内藏亲笔小楷日记、慈禧、光绪赏扇面、书画、象牙管毛笔、端砚等文房四宝等物，于十年浩劫中被攫，至今下落不明。另有士成黄马褂、宝剑，早年即佚失。原红桥区三条石聂公祠藏有聂士成全身巨像一帧，工笔写真。我藏有此画照片一张，聂氏家人曾予复印留念。

聂氏后人说："实际上，他是慈禧太后卖国弄权的牺牲品。"聂战死五年才给他在八里台桥树碑，说明了清皇朝的态度。碑上曾有袁世凯题挽："勇烈贯长虹，想当年马革裹尸，一片丹心化作怒涛飞海上；精忠留碧血，看此地虫沙历劫，三军白骨悲歌乐府战城南。"浩劫中，此碑被推入河内。1984年，天津市政府将"聂忠节公殉难处"碑心石重树，但题挽未附。

康有为殿试被黜

张达骧 口述　李秀嫣 整理

光绪二十一年(1895)签订马关条约时,康有为发动“公车上书”吁请“拒和”、“迁都”、“变法”。中进士后,在京建立“强学会”,办《中外纪闻》。在朝大官,咸闻其名。政见保守者深恶之,其中尤以徐桐为甚。

徐桐原籍天津静海县大和庄。曾自谓为明朝中山王之后代,是道光时进士,同治帝的老师。光绪时历充翰林院掌院学士,上书房总师傅,后官至体仁阁大学士。光绪二十一年乙未科会试为正总裁,启秀、唐景崇、李文田为副总裁。李是广东顺德人,与康有为有交往。康之试卷,被李认出,有意录取,乃荐与总裁。徐桐本厌有为,则说:“既认出是此人,怎能中他?”康遂落第。

考场章程规定:对落卷,考官必须重审,因卷名密封,徐桐亦无法知其人,竟选中康有为卷,置第六名。但填榜、唱名都从第六名开始,所以平时人们都习惯称第六名为“榜元”,中者殊荣。徐桐揭封后大惊!急问:“谁取中的?”皆言:“是中堂取的。”徐桐怒不可遏,连说:“撤换!”李文田说:“事关大体,此乃朝廷抡才大典,若撤换，须奏明圣上，请旨方可。”徐桐亦觉于理难释，遂说：“算他走运。”但仍不甘心，因本科阅卷大臣八人之中是以张之万居首，徐遂找到张之万，言及“误取”康有为之事。且嘱：“殿试时，五哥(张之万谱行之称)你把好关。万不能再叫他混入翰林。”之万首允，康有为在殿试中果然落榜。

正直耿介的佟蔗村

章用秀

清代津人佟蔗村，笃情重义，为人耿介；且不畏权势，不同于流俗，常助人于危难中，为世人称道。

山东孔尚任用十余年工夫，三易其稿，呕心沥血，完成了旨在反映南明一代兴亡的历史剧《桃花扇》，一时轰动文坛。包世臣于《艺舟双楫》中言：“近世传奇，以《桃花扇》为最。”然起初剧本仅以抄本传阅。孔尚任《桃花扇本末》称：“《桃花扇》抄本久而漫灭，几不可识。津门佟蔗村者……薄游东鲁，过予舍，索抄本读之，才数行，击节叫绝!倾囊橐五十金，付之梓人。”可知《桃花扇》刻板印行之功当推佟蔗村。

然而，佟何时赞助的孔尚任?是在孔为官得意时，还是在他罢官落魄后?查《桃花扇》上演时，孔尚任正在北京任国子监博士、户部主事。

次年三月，忽被免职。两年后，返回曲阜故里。《桃花扇》脱稿后，士大夫们只是争相借抄传看，连康熙帝想看，也仅索去稿本而已。这说明孔在京时，《桃花扇》尚未付梓，况且那时也无需他人襄助。因此，佟蔗村资助《桃花扇》刊行当在孔尚任遭到不测之祸后、隐居故里之时。“薄游东鲁，过予舍，索抄本读之”，更是证明。在清初文网森严之际，写《桃花扇》者“命薄忽遭文字憎”，而让《桃花扇》变抄本为刻本，使之广为流传，同样是冒着危险的，于此更知佟蔗村的为人了。

广东番禺屈大均为明清之际著名学者、诗人，向以反清复明为念。清军破广州，他遁入空门，行游南北，交结遗民，不久又弃禅归儒，继续抗清，为清王朝所追捕。而出身贵介的佟蔗村却与屈大均过从甚密，不但赋诗酬和，而且在屈大均病危时，慨然将屈之四子明渲收为养子，疼爱备至，视为己子，为谋婚产。大均曾作《佟声远友兄爱予第四子明渲特甚，求养为己子，病中赋诗六章，敬以托之》。佟声远即佟蔗村。诗中有“一日相知成肺腑，两家敦好胜婚姻”和“定知恩爱长加膝，看似亲生一丈夫”，可见二人友谊之深。

屈大均于康熙三十五年(1696)故去，是年蔗村三十九岁。及这位爱国诗人去世七八十年后，他后人仍不得安宁。乾隆三十九年(1774)，两广总督李侍尧奉旨以屈大钧“托名胜国，妄肆狂狺”焚毁其著述书版，并要发棺戮尸，因没找到坟墓，乃将其两个孙子处斩。佟蔗村与此“危险人物”交往，要担多大风险，可想而知。

关于佟蔗村生平，清查为仁《莲坡诗话》载：“空谷山人佟蔗村(鋐)家世贵显，不乐仕进。侨居天津尹儿湾，以诗酒自娱。有妾亦能诗，蔗村筑楼居之，名曰艳雪。蔗村诗各体擅长，尤精五言。”可惜蔗村没有诗集留下。现在只能从《津门诗抄》、《津门征献诗》、《莲坡诗话》中找到五六首遗诗。当年作为津门胜景之一的艳雪楼也已荡然无存。

万板楼主王青芳

曹明贤

木刻家王青芳，自号万板楼主。万板楼，只是显示多刻、多刻、再多刻的拼搏精神。所谓楼，实际只是一间不到十平方米的平房，是正德中学的一间教师宿舍。隔壁是文学家钱玄同住过的房间，没人住，只是留作纪念。万板，是极言其多，实际也真不少。屋里只放一张方桌，一张单人床，桌上桌下，床上床下，四角八落，都放满了大大小小的木板。出门时，胳膊夹着的小黑布包里，也都是木板。号称万板楼主，当之无愧。

青芳是白石老人的学生，最早学绘画，善于画小鸡。一天我看着他用笔涂着深浅不同的墨疙瘩，当他用另一支笔勾画一阵之后，立刻出现了活灵活现的五只小鸡。一共没用五分钟，却能

给人以美的感受与愉悦。他还善于刻图章，我目前用的名章就是他刻的。上面刻着“九思仿白石”五个小字，堪称珍品。

后来，青芳下定决心专攻木刻，兴趣非常浓厚，钻研非常勤苦。“焚膏油以继晷，恒兀兀以终年”。简直到了废寝忘食的地步。常在早晨买六个烧饼，早餐吃两个，午饭四个。副食往往是半碟咸菜而已。这倒不是仅仅为了省钱，更重要的是为了节省时间。就这样，他的木刻艺术和木刻理论，时常见诸报端，赢得了木刻家的称号。

我跟青芳认识，很有戏剧性。当时，我在北平科学社作校对，是表兄王方熸介绍的。很不幸，表兄由于经商失败自杀，我便失业了。不得已，拜访了同乡贾仙舟。很可笑，我们并不认识，只是因为都曾是《河间三日刊》撰稿者而神交数载。他听到我的不幸遭遇，就把我介绍给了青芳，青芳让我替他编写像刻小传。《七十二烈士像刻小传》就是由我编写的。当时他并无条件用人，用我是为了助我暂度难关。

离开青芳，行将五十年了，他那刻苦钻研木刻的精神，我一直以之为鉴。每念及他助人为乐的精神，辄使我感激涕零。

黎元洪与北塘

毕树发 原作　天　放 整理

黎元洪字宋卿，湖北黄陂人。父黎辅臣，于光绪四年(1878)任鄂军驻北塘东大营炮台哨官。时元洪14岁，随父母移居北塘。母陈氏，不久病逝。继母王氏，北塘人。因家庭生活拮据，元洪佣工于通永镇署，深得唐统领之赏识。时元洪目睹富家子弟皆可入塾读书，而穷人则被拒之门外，颇感不平。唐闻之，乃资助元洪就读于塾师张子养先生，极得张先生器重，后鼓励其考入“北洋水师学堂”。从此，元洪对北塘之情感，极为深厚，对邻友发誓曰：“有朝一日，我要让所有穷孩子都能念书。”后来，黎元洪在风云变幻中发迹，果然在北塘广慧寺(小神庙)捐资创办一所“北塘半日小学校”，后改名“北塘贫民小学校”，专招收穷苦子弟入学，不收学费。学生可以半天上课，半天谋生，极得乡众好评。随后，有些富家子弟亦纷纷要求来校上学，学校即分贫、富两班上课，以防贫生受欺，并让富班学生每人每年交纳学费大洋两元，校名亦改为“北塘国民小学校”。为把学校办好，黎特聘当地热心教育事业之杨汝梅(号涤生)先生任校长，并拨给中国银行一千元存款及宁车沽五十亩苇田作基金，直至1928

年黎元洪逝世，学校为北塘贫民培养了不少人材。尔后，因经费不继，学校便改变为乡办普通学校性质，穷家子弟入学率也相应降低了。

段祺瑞在津的寓公生活

张绍祖

1926年4月，段祺瑞被冯玉祥赶下了台，于20日率部将多人离京来津，开始了他一生中一段恬静的寓公生活。

段祺瑞在天津没有房产，来津之初租住日租界寿街一房。他以崇信佛教作为精神寄托，自号正道居士。在闲居中，无意中将自己的姓“段”和自己住的“寿”街联系起来，谐音为“短寿”，觉得不吉利。其内弟吴光新听说后，就劝段祺瑞搬到日租界宫岛街(今鞍山道)吴的寓所。此寓所建于1916年，外形奇特宏大，施工质量高，可与日租界张园媲美。段祺瑞在这座寓所住了不久，因寓所离日本驻屯军司令部比较近，经常有日本军政官员来访，段常托病不见。段祺瑞想找一个清静的住所，其部下、曾任陆军第九师师长的魏宗瀚，把段接到了日租界须磨街(今陕西路)自己的寓所。

魏宗瀚寓所包括两所楼，段祺瑞住在靠蓬莱街的后楼，三楼三底。当时和段祺瑞一起生活的有一位太太,三位姨太太,一个儿子,两个女儿等,共计十一口。

段祺瑞信佛吃素,经常闹腿疼,很少出门。他喜欢下棋,特别喜好下围棋。1930 年以后,日本帝国主义在华北加紧侵略活动,在搜罗亲日力量时,曾一度瞩目于段祺瑞,每位新上任的日本驻屯军司令都要来拜访他,段一直托病不见。1933 年被蒋介石迎居上海,后病死。

王襄的自寿联

王巨儒

王襄于 1910 年毕业于清农工商部北京高等实业学堂 (即北京大学工学院前身), 授为举人,分省河南。1911 年 9 月,去开封候补。值辛亥革命,归乡。先生的《纶阁文稿》中记:“经历候补况味,遂绝意仕进。”甘居清贫。解放前,因无力购买研究金石甲骨的参考书籍,全凭抄录。每逢生日,则写楹联自寿。

1934 年所写自寿联语是:

上寿百岁老驹光允宜自奋

寒士一生有食藉何事旁求

联上题:“老无成学,恐役于外物,书此自励。”时年先生已五十九岁,研究甲骨有成,于金石考古学术领域中已有一定声望。

日寇侵略我国时，先生廉节自守，闭门读书。1945年日寇投降，是年先生生日时写：

陋室富破书乱帖

热肠搜冷石寒金

并记："近年贫病欺人，汰除壹是，默记所系，尚有四事：书、帖、金、石。昔日酷好，今犹未忘情，撰联自怡。"

1947年，国民党接收大员来津，先生生活日窘。那年生日所写自寿联的题记是：

龙集丁亥，室敬人生辰。逢四方多故，斗米万金。难以循俗娱宾，乃乞灵文字自毁，冀饮水读书，度此厄会。

解放后，先生始读马列著作。一个老知识分子经过长期的艰难历程，才找到共产主义真理。1955年，先生八十岁诞辰时写：

老见异书学一进

今逢上寿计八旬

联语上题："近年读马列主义著作，遇矛盾之理皆能立解，且合实际，知共产之学造福社会，不图老耄得此异书，胜读礼运诸篇。因制联自寿，以志心悦。公历1955年11月16日，簠室老客记。"

翌年，老人加入了中国共产党，从晚清举人而成为无产阶级先锋战士。今日莘莘学子，以老一辈知识分子为榜样，能不为振兴中华而自奋自强乎？

品高艺精　为人师表

宁书纶

吴家禄先生，字玉如，别号迂叟，津门著名书法家。先生书宗“二王”，兼长篆、隶、魏碑，融会贯通。其所作楷、行、草书，尤为专精，秀润飘逸，自成风范。识家赞赏，学者宗之。先生不慕名利，每有索书者，从不吝惜笔墨，是以名传四海，为世人尊崇。

去夏某日，我友谈及吴玉如先生感人之事：早于40年代，先生在津市永安饭店(今美协二楼展厅)举办“吴玉如先生书法展”，观者络绎不绝，盛况空前。其间，一老人连日参观，从未间断。某一天，老人向服务人员指问一张书作，自言家境贫寒，紧衣缩食，稍有积蓄，欲购此作，希价酌减，服务人员不应。又一天，老者往观，再告求之，又不应。如是者三，老者失望而去。展览结束后，吴先生询问展出情况，服务人员遂将上情详谈始末。先生听后，带有申斥语气，又深为惋惜地说："我早知此事，愿无偿奉送。因观者贫，而求索殷切，奉送又何妨！当知翰墨结缘，意义深远。"服务人员无言以对，而内心对先生更为敬佩。时逾五十载，我友谈及此事记忆犹新。余闻后，亦深为之动，故作文追记，以为后学楷模，永赞颂之。

跳舞风波

王翁如

民国十五六年有广东财人在天津今艺术协会址，开一饭店，因欲与中街德商"其士林"对抗，故名"快活林"，请书家管洛声题额。管文士也，以为"快活林"乃《水浒传》中酒店名，中有武松、蒋门神、张督监诸人，况酒店开市不久，即被打得落花流水，殊不当。故曰：诗词中吉祥文雅词句甚多，不如另选。主人以为然，乃命名为"福禄林"大饭店。

福禄林专营广东风味饮食，楼上中餐有燕

翅菜席，楼下西餐有英法大菜，另设有跳舞厅，装饰绚丽豪华，每晚饭后接待舞客。厅内音乐悠扬，灯红酒绿，男女翩翩起舞，以致门外围观拥挤，一时褒贬参半。当时舞场只有外国人跳舞，中国人很少参加。而福禄林开办舞场，中国人也愿一试。于是有人谓：欧风东渐，向西洋学习跳舞也是交际之一道，不足大惊小怪。但也有人认为男女拥抱而跳转，殊有碍观瞻！有反对者约教育家严修出面，并邀名流十四人，如赵元礼、高凌雯、林墨青、王守恂等到张一桐家商谈。最后决定“先礼后兵”，先找饭店广东股东商谈，但又都不认识他们。于是有人提议找李准，因李虽是四川人，但他当过广东水师提督，认识许多广东名流。不巧李准去北平了，由其弟李涛接待。李涛思想较新，说：跳舞不是什么新鲜事物。上海、北平早已有了，天津其士林、马场俱乐部也有许多外国人跳舞，不必奇怪。名流们说：不能与外国人相提并论，对中国人则是有伤风化！李涛无可奈何，只好电知福禄林，结果饭店停止跳舞。

过两星期，福禄林登报声明：“前者开办舞厅，蒙各界拥戴。后本市十四位名流反对，因此停办。现在又有另一方面主顾，令我们继续开办。即日起只好重张。对十四位名流，深感抱歉，特此登报，并企见谅是幸。”谁都知道另一方面主顾支持者是张学良将军。因此赵元礼有“跳舞依然还跳舞，名流从此是名流”之诗句。

张勋与堂会戏

周骥良

堪称民国史上一大闹剧的莫过于张勋复辟帝制了。他拖着猪尾巴小辫怎么搞起来的?高招妙策全在堂会戏上。他带兵来到北京,表面上听黎元洪总统之命,暗地里却和保皇党勾挂在一起。1917年7月1日,他借江西会馆的大戏楼办了一场堂会戏,名角纷纷登台,遍请京师军政大员前来看戏。实际上是变相地把他们拴在这里,待到好戏唱得正浓之际,他溜出了剧场,号令他的六千辫子兵响枪鸣炮,来个猝不及防,拥清逊帝溥仪复辟,恢复宣统年号。

好景不长,十二天后,复辟闹剧唱砸了台,张勋兵败,逃入荷兰公使馆藏匿。其后钻进天津英租界,以劲松老人自誉,似乎从此鞠躬下台了。其实不然,他还是与各方面联络。兵带不成了,官却还要做。他采用的办法还是唱堂会戏。1920年3月,他在自己的公馆举办了第一场堂会戏,名角之多,戏码之硬,甚为少见。有杨小楼的《长坂坡》、孙菊仙的《朱砂痣》、尚小云的《探母回令》等等。但名角更多,戏码更硬的还是同年9月,他接连举办的两场庆寿堂会戏。第一天有余叔岩的《击鼓骂曹》、梅兰芳的《木兰从军》、杨小楼的《连环套》，当时京剧界三巨头全被他邀请来了。第二天有余叔岩的《定军山》、梅兰芳的《木兰从军》、杨小楼的《夜奔》。此外，唱前场的还有程砚秋，第一天是《玉堂春》，第二天是《贵妃醉酒》。梅的《木兰从军》和程的《贵妃醉酒》都是从未登过台，临时赶排出来的，以后也未见他们在营业戏台上演出。这位"辫帅"是花大价钱买出来的，为他的堂会戏大大添了彩。当时，天津寓公唱堂会戏的比比皆是，而且大半都有自己的戏楼。但类似他这样强大阵容的，在他之前之后都没有。他把堂会戏推上了登峰造极的地步。

果然他这精心安排的堂会戏起了微妙的作用，接着他就出任热河林垦督办了。但这位督办却连一棵树也没种过，不久也就病死天津。

"猎捕"议员闹剧

齐植璐

北洋政府时期的"议会制"，群魔乱舞，笑话百出。现在只谈一场发生在天津的像撒鹰捕兔似的"猎捕"议员的闹剧。

事情发生在1918年9月。段祺瑞为了操纵北洋政府的政权，炮制了"安福国会"，打算选举徐世昌为总统，把冯国璋赶下台，副总统则属意于曹锟。目的是为了贯彻他的武力统一的主张，分化并打击以冯国璋为后台的直系主和派。事先派徐树铮到天津对曹锟进行游说，使本来在对南作战方面摇摆不定的曹锟，态度又坚决起来。当年6月19日，在天津召开的督军团会议上，决议举徐世昌为下届总统，继续对南用兵。曹受任川、粤、湘、赣四省经略使，等待着登上副总统的宝座。

但是，国会议员对曹锟并不买帐，旧交通系、研究系及安福系部分议员都表示反对。他们以溜号罢选方式进行抵制，周自齐就带走一百四十多议员到天津冶游。这样一来，国会不能如期开会，连徐世昌的总统选举也会落空，使段等慌了手脚。于是议长王揖唐连忙派打手克希克图赶到天津，来绑议员的"票"，并派家丁在天津东站以八辆汽车等候"猎物"。这些人分批到各家旅馆搜寻，找到一个就拉来一个，送上汽车关拘待运。最后，在南市妓院里又捉到倚红偎翠的四十名议员，连夜载往东站。这些被捉的议员老爷又怎会像逃犯一样地听任摆布？所以一路上挣扎吵嚷，好不热闹，以致引起不明真相的岗警注意，拦住检查盘问。当问明底细放行时，他们那哑然失笑和嗤之以鼻的情景，是可想而知了。这天夜里，一直到火车开动时，还匆匆忙忙地赶来塞进几个人。

经过这一阵忙活折腾，国会在9月14日开成了。选举徐世昌为大总统，但次日再选副总统时，议员们纷纷离去，会议流产，于是决定本届

副总统悬空,曹锟的美梦也成为泡影。

当然,1923 年 9 月曹锟贿选总统时,与上述闹剧形成鲜明的对比, 那时的议员每个人可拿到“票”价五千银元的巨款,有孔方兄的邀请,又哪能不如蚁附膻,何劳议长撒鹰捕兔呢?

“进门踹”

老 辛遗作 天 放整理

20 世纪初期,天津城厢还没有电灯照明,每到夜晚,街上一片漆黑,要出门的人,大都要点个亮儿。除了富裕人家备有手提灯、纱灯之外,一般人为了临时需要, 就创造了一种简易的一次性使用的照明工具,叫作“进门踹”。这是用苇篾子扎成的粗制小灯笼,外面糊一层薄白纸,里面点上一个蜡头。这种灯当时能照亮,但亮不多久,蜡头一着完,灯就熄灭,或连灯烧着了。这时,人们就会把它扔掉,踹灭它。因此,就得了这个诨名。这种灯,最初是在北门外的饭馆和侯家后的妓院兴起的。那里晚上的客人临走时,里边的人必先点上这种灯笼赠送给客人每位一个,让客人提着离开。不过,路远些的,就得快跑,否则,半路蜡头一着完,还没等进家门,“灯”也就该踹了。可是,它究竟是解决一时之需的便宜照明工具,所以,在相当长的时期之内,它不但没

被淘汰，而且渐渐地从“赠品”升格为“商品”，慢慢地普及开来。

张老槐嗜帖趣闻

蔡鸿茹

张老槐(1911—1977)曾任天津市艺术博物馆副馆长，是天津市艺术博物馆奠基人之一，也是天津著名的碑帖研究者。他通晓各类古物鉴定，尤擅碑帖，以他不宽裕的生活，节衣缩食购买收藏了一些碑帖拓本。平日在家就以翻阅拓本为乐事，即便有多大的事也打不动他。二十多岁结婚那天，新娘子已到他家，拜天地时却找不到新郎，于是众亲朋四处寻找，结果发现新郎在碑帖堆里聚精会神地翻阅拓本，全然不像要办人生大事的样子。于是被人连拉带拽，簇拥到前堂，才算拜了天地。这件事以后成为笑谈。

婚后其妻生子三人，女二人，生活十分窘迫。敌伪统治时期，他失业赋闲在家，全家生活更加艰难，全仗妻子精心维持，而张老槐仍终日埋头在碑帖拓本之中，乐以忘忧。碑帖拓本的鉴定依据，除了纸、墨、题跋等外，字迹的损坏程度往往占很重要因素。某碑某字宋代损坏如何，明代损坏如何，清代又损坏如何，都要熟知。各种拓本要通过核对、比较，才能判断出拓本年代及优劣，往往一字值千金，一小块损坏要相差几百年。张老槐多年反复钻研各代拓本的规律，故而对各碑字迹损坏程度了若指掌。一日，正值吃饭之时，张老槐被家人从拓本堆里拉到饭桌前。他吃着饭，思绪仍萦绕在碑帖拓本的海洋中。突然，他一拍桌子，众人一惊，他则高兴地告诉妻子："我又核对出两个字来！"孩子们尚不解爸爸的意思，而妻子跟随他多年，对他的爱好深有了解，只得苦笑着说："对出两个字，管什么用哟！全家的饭还没着落呢！"

张老槐晚年卧病不起，精神全无，惟见拓本才能提神。笔者曾多次拿着拓本到他的病榻前请他边看边讲，他讲起来头头是道，把病痛置之度外，老伴说他只有见了碑帖才能精神起来。

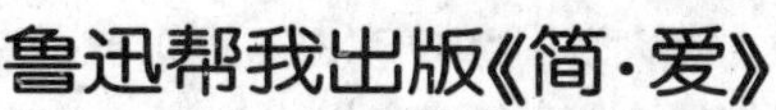

鲁迅帮我出版《简·爱》

李霁野

1930年秋，我到河北女子师范学院英语系任教，头两年因备课忙，没有什么译作。鲁迅先生极为关怀，以为我偷懒，冯雪峰同志告诉了我。我立即给先生写信说：我已经开始译《简·爱》了。先生以后又经常将他的译著寄赠，并把我译的《简·爱》介绍给出版社，作为《世界文库》单本印行。

造字风波

陈嘉祥

汉字虽已极为繁复，但创造新汉字之“新仓颉”，却代代不断！

1947年秋，坐落在天津一区(今和平区)滨江道上的大丰绸缎庄，为摆脱商业萧条，于10月6日在天津《益世报》刊登大幅广告时，曾用“傢贱”二字说明该店商品售价低廉。“傢”字不见于字书，系该店经理别出心裁，闭门杜造，以“傢”代“侉”，妄想出奇制胜，以广招徕。殊不料此项广告刊出之后，竟引起山东旅津同乡之极大愤慨。咸认为用“山东人”三字组成一“傢”字，系意存侮辱，纷纷向该店提出抗议。一时该店门前聚有四五百人之多，致使该店不得不临时停业，紧闭铁门，以避风潮。后经调解，该店经理亲赴山东旅津同乡会赔礼道歉，并在天津各报刊登道歉启事，一场风波始告平息！

“傢”字虽仅一现于报端即告夭折，但产生之影响却颇恶劣。未来之“仓颉”，似应引以为训。

一场未打起来的官司

齐植璐

看过话剧《日出》的人，都会在同情剧中主人公陈白露悲惨遭遇的同时，对那个反面人物大亨潘月亭和另一个未出场的黑社会头目金八，感到非常痛恨。曹禺的这个剧本是他在1935年任教于天津河北女子师范学院时写成问世的。正由于此，却激怒了天津的两个头面人物。

二人伊谁？即当时被称为天津“新八大家”中与敦庆隆绸布店的纪慰瞻、乔泽颂，元隆绸布店的孙焜轩、胡树屏，隆顺棉纱庄的卞润吾，同益兴棉纱庄的范竹斋这六大家齐名的瑞兴益棉纱庄的潘耀庭和金桂山。他们两个人是老搭档，除合资经营那一棉纱庄外，还一块儿联合其他同业合办晋丰银号和北洋纱厂，并且各自独资兴办了其他买卖，如金桂山开办了瑞源祥纱布庄和瑞源永银号；潘耀庭开办了诚明、益丰、耀远等银号。潘还投资于金诚、大生银行，担任过天津商会会长，日租界董事会董事。

20世纪30年代，正是潘、金二人大发财源、小有名声的时候，听说《日出》剧中竟有如此人物和情节，不禁大为恼火。因为剧中人潘月亭正同潘耀庭字虽不同而音同；而金桂山又正好行八,人称“金八爷”。因为这么巧,这两个伙伴偏偏又在同一舞台上以那样令人不堪的形象出现,他们遂认定是剧作者有意对他们进行明目张胆的恶毒中伤,因而怒火中烧,准备聘请律师对曹禺以妨害名誉的罪名提起诉讼。当时着实剑拔弩张了一阵子。

后来,经别人劝说:戏剧艺术塑造人物形象,原属作者加工虚构,剧中人姓名也系信手拈来,偶有巧合,亦所难免。金桂山也想通了,认为自己这个“金八爷”同那个恶霸“金八”,毫无相同之处,何必对号入座,自寻烦恼。就这样,一场无谓的诉讼风波,最后还是烟消云散了。

白将军写白字

靳怀义

白宝山(1877—1937),字峻青,直隶宁河芦台人。小时候拾粪,目不识丁。后来想找出路,投入张勋部下当兵。他打仗勇敢,没过几年便从一个小兵升为管带。1915年当上了海州镇守使。

白当了镇守使,为了巩固自己的权力,想方设法拉拢亲信。不少宁河人想混碗饭吃,都到海州投他,他就给个一官半职。所以,当时海州流传一句话:“会说芦台话,就把洋刀挎。”

白的舅父杨茂廷,年近六十,听说外甥当了

大官儿,也带上盘缠去找他。白见舅父这般大年岁,想来想去,还是让舅父到军法处挂个虚职,只拿钱不干事。白宝山自当了管带后,不识字不行,多少让人教了一些字,可有的还是认不清。他拿笔写了一张委令交给了舅父。舅父也是个斗大字不识半升的人物,拿了外甥写的委令高高兴兴去了军法处。军法处长接过委令一看,愣了,上写:抓杨茂廷到军法处。处长问杨:“你是白将军什么人?”杨笑着说:“我是小秃儿他舅。”原来白宝山小名叫小秃儿。处长为难了,抓了他怕惹祸,不抓又违了命令,最后决定管吃管喝先看管起来,等见到白将军再议。于是对杨说:“闲缺还要等几天,你先住在这里,海州这地方欺生,你可别出大门。”几天后,白宝山想知道舅父干得如何,就骑马到了军法处。处长说:“您叫我抓的人已寄押在这里。”白说:“我是派他到这里工作的,怎么抓了他?”处长拿出委令让白看,白这才知道是自己的白字闹了笑话。他怕笑话宣扬出去,自己和舅父都丢脸,就给舅父几百块钱打发回老家了。

白宝山后来投入孙传芳的怀抱,成为孙的五省联军第八师师长。1927 年孙败于北伐军,白的部队也被击溃。卸职后在天津做寓公,十年后因痔疮手术而死。

清代科场的截搭题

涂家昌

封建时代的科举考场,简称科场。科场作文称为时文,就是通常说的八股文。八股文不足为怪,怪在八股文的题目。

历来科场出题作文, 考生倘遇恰与自身窗课相同或相似之题,准其照抄,已成定例。因此父师教习子弟,无不拚命猜题。于是考官不得不挖空心思出怪题, 以免考生恰遇窗课, 侥幸登第, 又怕和前人已经出过的题目相重, 闹成笑话,影响甄拔。从而越出越怪,真是变本加厉。出怪题之术在于截搭。截搭者,取四书(出题只限四书)两句,或截上句之前半,或截后句之后半,被截之处不成句读,而强令相搭,搭成一题,故曰截搭。例如取《论语·学而》的"学而时习之不亦说乎"而截去上头五字,又取下句"有朋自远方来不亦乐乎"而截去下头八字,径以"不亦说乎有朋"为题。天哪,这叫什么题目呢?然而这是事实。这是我的外高祖父俞曲园(俞樾)所拟,见于他的《曲园课孙草》(此书刻本罕见,不在《春在堂全集》之内)。老人为我的外祖父示例,在文章的开头用了"说以学而深,即可决其朋之有矣……吾学成而朋之来也,无远弗届矣,又岂止说焉而已哉"三十四个字,严格遵照题目的范围,只字不提被截去的部分。再如《论语·述而》的"子所雅言,诗、书、执礼,皆雅言也",截去前八字;下文"叶公问孔子于子路,子路不对。子曰:'女(汝)奚不曰,其为人也,发愤忘食,乐以忘忧,不知老之将至云尔。'"只取"叶公"(按叶公为楚大夫)两字,而"皆雅言也叶公"遂成题目。这比"有朋"更难,"有朋" 至少还联系上文,"叶公" 则另起一章,与上文了不相干,只有两个字,如何发挥?但老人妙语妙理,纵横自若,大肆发挥如下:

"明圣训之有常,而楚大夫又可记矣(按,一个"又"字便轻轻地结连上下)。夫雅言而曰皆,则诗书礼,夫子固不言也,彼叶公者又何以书哉。衍洙泗之传,固微经训,而驰满湘之誉,亦具卿材。吾党奉圣言为依归而此外有人,未可以'彼哉,彼哉'(按,轻视之辞,见《论语·宪问》)一例而外之也。……吾夫子至楚之时,叶公或亦仰窥其

丰采而窃聆其雅言乎(按,紧扣“雅言”二字,熔上下为一片)? 夫雅言传于东国……而叶公来自南方……此所以问孔子于子路耶?”

此中还从容不迫地引经据典充分发挥,据王子朝奉周之典籍以奔楚,说明诗书执礼叶公也并非无缘。行文流畅于八股之中而不违八股之定法。截搭出题乃能如此完卷,真海内观止矣。

林凤祥被俘过津治伤

林开明

太平天国将领林凤祥、李开芳率领的二万太平军,于 1853 年 5 月 8 日自扬州出师北伐,转战安徽、河南、山西、直隶、山东五省,长驱四千多里,一路攻关夺隘,英勇奋战,曾一度突入天津,给清政府以沉重的打击。由于孤军深入,后援无济,1855 年 3 月林凤祥部在直隶连镇、5 月李开芳在山东茌平先后被镇压,北伐壮举遂告失败。

当林凤祥于 3 月 7 日在东光县连镇被俘时,右臂、左腿受严重箭伤,行动艰困。清军统帅僧格林沁为将林凤祥解押入京惩治,邀功请赏,令文瑞槛押解送,乘船沿南运河北上。曾协助清军抵抗太平军的大盐商张锦文等组织的天津团练总局,接报后立即传知各分局准备在小稍直口一带“沿河排次，摆列旗帜，以便接送”。为防意外，通知要求无须叩接，各站各队，不准喧嚷跑动，不准响声号令。但文瑞仍感到押送这位曾经使清廷胆颤心惊的林凤祥责任重大，大张旗鼓接送，恐有不测，便下令路队皆免。12日凌晨，文瑞一行到达西沽。林凤祥伤势愈重，如不能生押入京，文瑞难于交命，便在西沽暂时住下，令团练总局请医生为林凤祥治伤。这位医生名叫苏益三，是道光、咸丰年间的天津名医，他信奉西教，受传蒙古医术，技艺高超。据记载：“能疗金创，虽断胫胁，亦有妙法，但敷以药，不事刀锯，故愈后无残废之虞。”林凤祥受医后，伤势稍减，即被槛押送京。15日，反动清政府施以“寸磔”酷刑。林凤祥顽强坚忍，“刀所及处，眼光犹视之，终未尝出一声”而英勇就义。

废纸堆里救史料

李云冲

历史的曲折、时代的变更是文物书籍沦失和毁坏的主要原因。

1947年，天津市处于解放的前夜，图书业在风雨飘摇之中。口粮一日三涨，生意萧条，家计维艰，时局动乱，谁还有心藏书？倒是把书当成废纸卖的居多。

一日，宝林堂书店的掌柜王仲珊路经南马路的协成印刷局(现中级法院对过)，见人们正拆除印刷机和清理帐目，昔日那有节奏的响声听不见，彬彬有礼的迎客送客的情景也没有了。

透过玻璃窗，王仲珊发现耳房地板上散乱地堆放着《袁氏家集》有成套、成本的，也有单页的，他眼里闪出了光亮，他想："这可是难得的近代史料啊！也许协成就是袁世凯的印刷厂吧。"

几天后，因为心里总在惦念《袁氏家集》的下落，他抽空又去了一趟，不禁呆住了——《袁氏家集》已不知去向。一位看门守摊的老人说："要那破玩艺儿有嘛用，都卖给收破烂的了。"王仲珊听罢，脑袋嗡地一下子，急忙刨根问底，终于在西门南路东杨氏废纸商店的大垛里找到了珍贵的《袁氏家集》。之后，王仲珊把收集到的这些书及单页整理装订好，先后卖给了图书馆和北京的同行。他赚了钱，也干了一件于国家有益的好事。

八十年前的一篇“世界无烟日”檄文

齐植璐

世界卫生组织规定，自1988年起，每年5月31日为“世界无烟日”。届时世界各国都进行创建无烟环境的宣传活动，并停止吸烟、售烟一日。由此，我不由想到早在八十年前就大声疾呼地宣传戒烟的两个人，一位是众所熟知的国民党元老李石曾，一位是天津耆宿严范孙。

李石曾是天津东门里长芦纲总姚学源的表侄，留学法国，攻读生物、生理学。他从20岁时起，即矢志毕生素食不茹荤。清宣统元年(1909)与姚家合资在法国巴黎开设豆腐公司。是时，中外人士已有一个名叫“万国卫生会”的组织，以宣传戒烟为宗旨。李石曾深表赞同，遂于宣统二年(1910)手著《吸烟与经济、卫生、实业之关系及戒烟之法》一书，着力从生理卫生学的角度，极论吸烟之害，剀切陈词，发人猛省。

书成之后，特请严范孙为之作序。严读后，“为之悚然愀然不能自已”，乃先翻印万册，广为发行，以扩大宣传影响，造成舆论态势。所作序文亦非常深切感人，而且着眼世界，寄怀久远，几可作为一篇绝妙的“世界无烟日”的檄文读。如说：“吾国近十年来，风俗习染之骤，有至可惊可惧者三：一、麻雀牌，一、彩票，一、纸烟。但麻雀牌，儒者犹羞之；彩票，明者犹避之；惟此纸烟无贵贱、贫富、文野、智愚、贤不肖，靡然而同风，怡然而不为怪。守旧者言窒欲，而恕此为无伤；维新者讲卫生，而忽此为例外；乃至穷乡僻壤，百货所不易到，而此物则遍张广告，到处行销，何其祸之尤烈也！”“伏愿爱国忧世之士，递相劝戒：先自己戒断，而后以戒他人；长官戒断，以及其僚属；父老戒断，以及其子弟；师长戒断，以及其生徒；居停主人戒断，以及其宾友，以及其佣仆。亲以及其亲，友以及其友；家以及乡，乡以及国，国以及全世界，庶几戒烟终有收效之一日。”同时，他还现身说法，自言也是一有二十年“烟龄”的瘾君子，“四十以后，乃始戒除。吸烟之甘与戒烟之苦，皆亲尝之。所谓戒烟之苦，不过数日间小不适耳。忍此数日之小不适，而为吾身去无形之害，为吾家吾乡吾国吾并世之人，造无量之福，仁人君子何惮而不为耶？”情辞激越，鞭辟透剔。如此妙文，出之于八十年前刚刚卸任前清学部侍郎的封建士大夫之手，实属难能可贵。

李景林与杨以德争夺天津县

刘炎臣

在军阀混战的年代，各方军政官员，分属不同派系，彼此明争暗斗，互相抢占一切。在这种局势下，1925年6月间，直隶省长杨以德与直隶督办李景林，导演了一场用武力争夺天津县知事(县长)肥缺的丑剧，开官场新旧任接交的先例。

当时，原任天津县知事张仁乐，字燕卿，直隶(今河北省)南皮人，是清末重臣张之洞之子。

杨以德是天津人，他从清末民初掌握天津和直隶全省警政十多年。1925年他在天津警察厅长兼直隶警务处长任上，又由临时执政段祺瑞擢升其为直隶省长，仍兼原有各职，官上加官，显赫一时。1925年6月22日，杨以德在直隶省长公署大照壁前“挂牌”：“天津县知事张仁乐停职查办，遗缺由白振镛暂代。”白振镛是天津警察厅司法科长，为杨以德的亲信。他奉命之后，即于6月23日上午七时许到天津县公署接任。事先李景林已闻知此事，特在这天早晨，派去十几名军人，把住天津县公署前后门，不准任何人出入。张仁乐自以为他的侄子张厚琬是张作霖的参谋长，与奉系有相当渊源，仗着这样有力靠山，有恃无恐地拒绝白振镛接任，并说：“须

请示李督办(景林)后再行移交。"杨以德得此信息,当即派去一个中队的保安队,包围了天津县公署,警告张仁乐,如不顺利交代,要用武力接收。张仁乐立刻把这一情况,以电话报告李景林。李景林闻讯震怒,拍桌子大骂杨以德,并派去一个营的军队,把杨以德派去的保安队包围。形势发展到这样严峻程度,双方旗鼓相当,如临大敌,使天津城厢内外,顿时处于极度紧张状态中,行人莫名所以,惶惶不安。张作霖、李景林因不满杨之举动,决定将其撤职,杨以德亦于6月28日发表通电,表示辞职。接着,李景林兼任了省长,集军政大权于一身。

这出丑剧,以李景林暂时占了上风,杨以德从此退出政治历史舞台而告终。

曹妃甸和天津海关灯塔

翟乾祥

约在百年前,渤海湾北部沿海有一个小岛叫曹妃甸,因岛上有曹妃庙而得名;另外它还有一个名字称沙垒甸,就是沙岛的意思。

曹妃甸自古就是海运必经之地。《如实录》中记载,从天津海口发舟东北行,曹妃甸是途经的第一个大岛。"嘉靖廿八年(1549)辽抚侯世翼,以辽东大饥,移粟天津,其入辽之路,自海口发舟至广宁右屯河通堡，不及二百里，中间若曹(妃)甸、月坨、桑坨、姜女坟、桃花岛均可停泊，各相去四五十里”。同治八年，天津海关为在甸上建立灯塔曾作过实地考察，写出的报告上说：“其地系海中沙岛，形长四里，宽二里，其高处离海面八尺，上有乱草，其地势匀平，沙面似稍坚固，沙岛上有甸山庙。土人云：‘在康熙四年建造……。’”(《津海关档案》)光绪十年(1884)在甸上建成灯塔。光绪廿二年六月间，海潮激涨，除高阜数处外皆被淹，灯塔没于水中达四英尺，僧庙及灯塔管理员宿舍与院落围墙亦皆倾圮。光绪廿六年(1900)潮水冲刷益烈，灯塔岌岌可危，又进行加固。1905年发行的德帝国主义侵略者在侵华期间实测的二十万分之一直隶、山东沿海图中尚绘有曹妃甸，上有菩萨堂（曹妃庙别名）。1922年沿灯塔月台周围投杂石三百十六吨，但为时不久，灯塔又发生危险，管理灯塔的僧人也迁走。于是1925年6月在原灯塔西北半里地方，又建立现在所用的四等电石自动闪光无人看守灯塔。1949—1950年，灯塔受海水冲刷，发生倾斜。

曹妃甸这个小岛见于文献记载至少也有五百年以上的历史，但在20世纪30年后便在地图上消失了。

曹妃甸的变迁和逐渐消失，主要是受滦河改道的影响，尤其是滦河入海口的变化。嘉庆十八年(1813)滦河大水，河道发生变化，此后基本是走东道，从乐亭县迁至昌黎县老米沟和甜水

沟入海,但在汛期有时还分流入西道。光绪九年(1883)洪水,滦河分出西侧支流叫“二滦河”,从乐亭境内青河入海。光绪十二年(1886)西道淤塞,此后滦河全由昌黎入海。滦河泥沙颗粒大,没有黏性,悬浮性小,容易造成三角洲和临近河口堆积,但在海浪和反向海岸流相遇的地带,因流速减低,悬浮水中的泥沙及碎屑不断在海底沉积,增高后形成与海岸平行的沙岛。曹妃甸就是这样形成的。曹妃甸的消失是因为滦河东迁后,河口距这一带远了,泥沙来源不足,补偿不了冲蚀,逐渐缩小,最后走向消失。曹妃甸的沧桑过程大致如此。目前只有在落潮后尚能露出一片不大的沙脊。

严修、严复被张冠李戴的一段公案

齐植璐

严修和严复都是在天津有一定影响的人物。他二人也互相器重,关系很好,如严修就曾盛赞严复“著作者任其劳,我读之但享其逸,至足乐也”。在任学部侍郎时,即曾敦请严复为名词馆馆长,并亲自聆听其讲学。但在民国四年(1915)间,他俩却被人牵扯到一件张冠李戴的公案中。

事情是由报纸对袁世凯紧锣密鼓地准备冕旒登场的新闻报导中引起的。就在是年八九月的日本《东京时事新闻》中有一则新闻上说:“严修、杨度发起组织(劝进的)筹安会”;上海《申报》则更说成向袁世凯劝进,“请愿由严修居首”。消息发表后,曾造成混淆视听于一时的不良影响。

这一传闻显然错误,但从当时的情理推之,记者的这一失误,还不是出于全然的无知和毫无根据的捏造。因为严复本来是一个强烈反对帝制、鼓吹资产阶级民主政治的思想家,不仅同袁世凯毫无政治渊源,而且在袁任北洋大臣想延请他为幕府时,他还曾说过:“袁世凯是什么东西?够得上延揽我!”的狂言。而严修则不然,袁当直隶总督时,曾敦请他做过学务处督办;袁入军机后,曾推荐他为学部侍郎;袁被载沣罢黜时,他曾犯颜上疏力保其留任;辛亥年袁再起为内阁总理大臣时,曾力邀他任度支部大臣;鼎革后,他与袁世凯亲密往来,迄未中断,且曾受托率领袁的三个儿子赴欧洲留学……因而乍一思之,这拥戴劝进者,一定是舍他莫属了。

历史就是这样对那些仅凭经验主义想当然地看问题的人给以嘲弄。事实上列名筹安会者,反而是那个骂皇帝为窃国大盗的严复,而真正坚决反对帝制,并曾晋京面袁力谏的,却是同袁一向“情谊深厚”的严修。

所以失实的消息传出后,严修立即给关心他的日本朋友山崎光明去信,请其转告东京报界:“查与杨度发起筹安会,乃侯官严复,非天津

严修也。”并对《申报》所说“请愿”一事予以驳斥并揭露：“所谓请愿，则不知其何所据矣！据修所知，代表吾直者，某某两君，此见诸京津各报者也。抑闻人言，各省具名请愿之人，非尽出自本心，强迫者居大半，捏造者亦不少，某某两君是否出自本心，尚难悬断。惟修既未受人强迫，亦未被人捏造，实属万幸！”其对筹安群丑憎恶之情于此可见。二严均为晚清维新派人物，其晚节薰莸之判竟如此！

一份珍藏的状纸

于　辉

我在南京国家第二档案馆查阅建国前塘沽档案时，该馆工作人员递给我一个做工考究的木匣。打开木匣，几个繁体大字映入眼帘：国民政府文官处稿。再看细目，事由栏中写着：塘沽民众代表李钧等为法人不遵约章霸占塘沽土地延不交还，据理力争交还，以维民权而固国土一案。

原来这是一份状告洋人的原件。工楷书写，字体清秀。览其全文，说的是 1900 年八国联军由大沽口登陆后，在塘沽各占一块地方驻兵。翌年 9 月，签订辛丑条约。各国依约纷纷撤兵交还驻地。惟法国不但不交，还自划区域扩三百余亩，致使原地数百户居民流离失所，苦不堪言，历时三十年。

1931年,塘沽民众掀起了索地高潮。于是年2月成立了以李钧为首的“塘沽索还法国占地协会”,逐级告状,一直告到了南京政府。

这份状纸,措词强烈,但不失法理。现摘一段如下:

> 法人所占之地,并无条约规定。岂容久假不归!若不迅予交涉,迫其交还,则国权何在?法理何存?况塘沽为海口要路,平津门户,水路通衢,车船两便。地面虽小,外国之垂涎已久。再者,国家对外所必争者,国权国土耳。而法人视我国土为已有,则国土失,国权亦何以图存?倘再任其久据不还,民生堪忧,即国家亦受无形之侮。(《国民政府文官处稿·府字第1538号》)

大概是情理难却,国民政府行政院不得不谕令驻法公使就此事向法外交部进行交涉。但是结果如何,笔者无从知晓。令人惊喜的是,七十年前的塘沽民众竟有如此壮举,敢于把洋大人推上被告席。而其表现出来的思想高度和爱国热忱,足可使令人刮目。我想,这可能就是南京档案馆为什么那样珍贵地保存这份状纸的原因了。

戊戌政变小资料

涂家昌

戊戌政变发生在1898年。早在1888年,康有为第一次上书光绪帝,请求变法。1893年,唐文治也上书光绪,提出:(1)正人心,别流品。(2)务刚断,严赏罚。(3)奖气节,去阘冗。(4)正官常,破资格。(5)拔真才,变科目。(6)改武科,用火器。(7)联邦交,简使臣。(8)塞漏支,节浮费。并且说"以上八事俱久远之计,切实施行,中兴之业实基于此"。后来康、梁之名,小学课本上都有,而唐文治之名,大学生也很少知道。其实上书言变法时,康有为是诸生,唐文治是小吏(户部学习主事),都是小人物。国事危急,所以小人物起来也要议政了。

至于大人物呢?他们的派别是复杂的。大体上守旧者属于后(慈禧太后)党,维新者属于帝党,而界限不清,并非截然可划。就我所知,我的曾祖父协办大学士领兵部尚书徐郙是后党,在关键时刻却维护光绪帝。《嘉定县志》说慈禧对他宠眷不衰,其实后来衰了,因为后党想用他的兵符,发兵废帝,被他拒绝,理由是"奈清议何"?不便深说。所谓清议就是舆论,从大人物到小人物都不赞成废帝,后党在舆论民心上不占优势。

当时两江总督刘坤一态度守旧,他兵权在握,节制东南,为湘系军人之领袖。慈禧派人探一探刘的口风,刘毫不含糊地说:“今上和我,君臣之分已定。”慈禧当然不敢乱来。我曾祖也从此失宠。1900年,义和团起,八国联军破津京,西太后挟帝奔西京,那时我祖父已备齐车船,准备举家南下(回故乡嘉定暂避),劝我曾祖随驾西行而曾祖不许,因为他明知两党尚未释嫌,在京尚且闹事,流寓西京,倘若又生变故,他难以自处,故托病不行。慈禧还京后不久我曾祖即得予告(给予告老还乡的方便),用今天的话说就是劝退而不革职,留个面子。可见政见虽然守旧,未必醉心后党而不留后步。其后我曾祖告退还家,每晨仍坐肩舆在家园里绕一大圈,象征上朝,算是无声无息的抗议吧。总之,戊戌政变时,舆论对维新有利,后党和帝党,界限并不是泾渭分明的。

张献忠与七杀碑

游诲方

四川省广汉市(汉州)房湖公园内,有张献忠在四川时立的“七杀碑”。1956年建亭作为文物保护,周围立有木栏。虽名“七杀”,实则碑上并无一个“杀”字。

查明史,崇祯十七年(1644),张献忠攻入成

都,奄有两川。十一月称帝,国号大西,改元大顺,置左右丞相,颁发圣谕,诏各州县,刊碑晓谕。此碑即大顺二年汉州所立的圣谕碑。正面额刊“圣谕”二字,碑文(即圣谕):

天有万物与人　人无一物与天

鬼神明明　自思自量

大顺二年二月十三日立

两侧刊双龙环绕。碑阴刻献忠右丞相严锡命“圣谕注解”。

传说大顺二年八月,献忠北撤,南明杨展追至汉州,将汉州圣谕碑阴面之“圣谕注解”磨去,换刻“万人坟”三个大字,又刻《万人坟碑记》,立于“万人坟”前。按《广汉志·陵墓》记,“万人坟”在治西半里许,当大道处。

献忠事败,各地毁碑,独汉州圣谕碑得以幸存。

滴水如珠话当年

张　仲

天津虽是《禹贡》所谓九河的下梢,但过去市民饮水一直很艰难。明永乐初筑城后,城内四角虽都有大水坑,而且水月庵前的大坑,乾隆时人曾有“半夜买鲈”的佳话,但坑水实污浊不能饮用。城中旧有七井:异泉井、甜水井、文井、两山井、双眼井、总镇署井、普济庵井;然没有多少年就变成了苦水。盖津门斥卤之滨,地下难得甜水也。清顺治初,著《国榷》之谈迁路过天津卫时说:“城中不见井,俱外汲于河。”(《北游录》)

谈迁说的河,系指南运河(卫河)。当时河两岸置木跳板多处,板前有两支腿入河水内,尾置岸边,取水人要用桶汲水,然后肩挑上岸。或装独轮车(上置二椭圆木桶),或装驴车(上有长方形大木箱),然后卖给离河远之人家。诗人崔旭曾加形容:“运水车夫压赤肩,独轮车子亦争先;石头路滑城门外,常似黄梅雨后天!”石头路盖指北门外所修石板路面,系城内到南运河取水必经之地,工具不善,水常溢于外,造成满地泥泞。出城东门外取海河水亦如此(南、西门外无河)。光绪初,上海人唐尊恒(芝九)见此情景,在竹枝词中也说:“东北门边都是水,晴天也合着钉鞋。”钉鞋原为鞋底着钉之鞋,雨行用之,后亦有称油靴为钉鞋者,于布纳半高腰靴上涂桐油以做雨鞋。道路泥泞,取水艰难,水价十分惊人。据乾隆四年(1739)刊刻的《天津县志》载:“以三斗水之资,去日食之半,其困实甚。”三斗约合一挑(两桶)水,要占每天吃饭开支的一半,这对于市民生活消费的负担,不能说不沉重。故天津人常说“吃喝贵”,喝与吃两字连用,可见水在生活中之地位大矣哉!

另外,当年的水并非到家就可饮用,还须经白矾末搅拌沉淀。每当“麦黄水”下来,简直是半缸混水半缸泥,因此在家居生活中又常有“淘缸”之举。

1897年,由仁记洋行出面,集各洋商筹建自来水厂 (集资十八万七千两银),1899年建成供水。洋人专营,非租界洋人是不能也无法饮用的。1901年,华人马玉清与洋人合资筹设济安自来水公司,水厂地址选为南运河南岸的芥园(旧水西庄)。中国人可以买水了。但仅设少数"水口",便产生了"水把头",猖獗至出现了东、西、南、北"四霸天"。到天津解放前,虽铺设了自来水管,不过约合二百四十多公里,大约有五十万人还在喝河水或坑水。这同现在新楼有水表,户户有水用的局面,直如天壤之别。

旧天津用水难

顾道馨

本世纪20年代,自来水管道在天津旧城区附近未敷主干线前, 市内城厢大部分住户用水多取自南、北运河、子牙河和海河。河水有泥沙,特别是夏日的"麦黄水"泥沙更多,以致水色一如红砖色,必须沉淀、澄清才能使用。为了加快沉淀,人们想出一套办法:把一根三四尺长、中等粗细的竹竿的下半部几节各开一小方洞,并在竿壁钻些细孔, 用时从方洞放入白矾小块或碎末,将竿插入浑水中,手握竹竿上半部沿一个方向用力搅动,见旋涡中心水色渐清即可停止,道理是白矾溶化粘附泥沙加速下沉，此竹竿俗称“搅水竿子”或“白矾竿子”。由于搅水的需要，彼时人家都存有一些白矾放在厨房备用，而遍及街头巷尾的杂货小铺和货郎挑子也都卖白矾。

水有泥沙，除搅水澄清外，还有两项工作要做，因大家都这样操作，也就日久成俗了。首先要备有两三口缸，放在一处分作过滤之用。第一缸搅过沉淀后，慢慢将水掏到第二缸，第二缸沉淀后，将水掏到第三缸。平时，这第三缸水也就可以使用了，但夏日河水泥沙多，第三缸也要搅。这一系列的沉淀工作叫做“倒(dǎo)缸”；空出的缸清除泥底叫“刷缸”。经两三次沉淀过滤的一缸水虽然清亮，仍有一薄层泥底，夏日缸壁还挂有粘液状物，每隔十天八天也要刷洗一次。讲求卫生的人家，这是一项很忙人的工作，搅了倒，倒了刷，十分劳碌。冬天间隔可以长一些，夏天用水多，每隔三四天就要忙一阵。

那时代居民用水有顾忌：一是挑水夫送水往往不及时；二是水价较贵，冬日更要加价；三是水的净化十分麻烦、累人，因此不能放心大胆使用，而力求节约。

天津的东洋车

陈铁卿 遗作　王英奎 整理

天津市内早年的交通工具，只有马拉的轿车与人抬的轿子。但轿车上下左右震动摇撼，极不舒适。轿子价钱昂贵，只有显官富商，才能乘坐。所以常人外出，多是步行。人们迫切希望有一种既舒适又经济的交通工具出现，于是“东洋车”应运而生。因为仿自日本，故有是称，也叫“洋车”。这是用人力拉的双轮车，初时为铁轮，以后改用胶皮轮胎，遂又简称“胶皮”。车兴于1900年以前，最初全市不过几十辆，1930年前后增至二万辆，以后仍不断增加。同时，靠出租洋车获利的“车厂”大量涌现，可谓盛极一时。

自帝国主义入侵后，我国经济衰退，农村破产，失业日增。津市贫民及四乡农民流入市内者，不少以拉车为生，受尽了剥削压迫。

向车厂租车要有殷实铺保，保证：一、每天拉车，须交租车费，叫做“车份”，数目由车主规定；二、洋车大修归厂，小修归己，诸如轮胎放炮、轮条撞折等，都由车夫负责；三、车夫因事不能拉车，须早做声明，否则照交当天车份；四、出车、收车均有规定时间，超过时间回厂要受罚。以上均载在“厂规”，写入“保约”，沉重地压在车夫身上。

遇有争吵，警察总是偏袒乘客，稍不遂意，就把车两旁的扶手板打坏，或把车垫拿走，最后还得赔礼央求，做些“孝敬”了事。

天津从有了洋车，就有了帝国主义的“租界”，当年八国租界分据一方，各自为政。洋车本来是流动的，走到哪国的“租界”，都要上捐，共计八道捐，全部上齐才能通行无阻。因此为上捐车夫必须花一大笔钱和很长时间(每上一道捐都得付出半天时间)，是否赚得回来，还不得而知。

1938年以后，有三轮车出现，脚蹬总比步行手拉省力，自属一种进步。但三轮车夫所受的剥削和压迫，毫无改善。直到解放后，车夫翻了身，情况才算得到彻底改变。

无面值邮票

李腾汉

1949年，全国解放前夕，国统区货币贬值日甚一日，物价早晚数跳，邮政机构无法应付难关，便发行了一组无面值的邮票，分“国内信函费”、“快递信函费”、“挂号信函费”及“航空信函费”等四种，邮资不固定，每日由邮局临时挂牌公布，实行“水涨船高”的收费办法。

这四种邮票的图案是高山、火车、摩托车和

飞机。表面看，四种图案似乎象征四种邮种，实则恰好是对当时物价涨势的绝妙讽刺。设计者其有意欤？诚中华邮政史之“佳作”也！

红阳教及其他

李世瑜

天津在明初才设卫，那时人烟稀少，民间宗教信仰也比较简单，只有一些一般的佛道教庙宇，规模也不大。随着明清时代各种宗教的盛大发展，天津的宗教信仰也复杂起来，这里只谈一下民间宗教中所谓会道门的发展情况。

据目前的资料看，最早传到天津的会道门是红阳教，又称混元门，供奉无生老母，创教人叫飘高老祖(韩太湖)，万历年间从北京一带传到天津。初期流行在北郊区，渐后遍及全市及各郊区。清中叶又从山东、河北传来了天地门，也奉无生老母，创教祖师叫董老师(四海)。与此同时又从蓟县传来了在理教，创教祖师叫杨祖（来如)。大约也是同时，传来了老君门，又称太上门，奉太上老君，这是道教的支派，不过通俗化、简单化了。上述四种教门一直在天津市内及郊区、县流行。他们除了诵经念咒、坐功烧香，年节喜庆的日子做些法事之外，很少为非作歹，直到解放初期有的还有活动。

清代晚期，从各地涌进一些民间宗教，如圣贤道(又称还乡道)、皈一道、八卦道、九宫道、先天道、大佛道、五圣堂、吕祖道等等。直到20世纪20年代末又从山东传来了一贯道，它来势汹汹，压倒一切会道门，日寇侵华时期更是猖狂发展，解放后被定为“反动会道门”。这些会道门的形式都比较原始，它们的教义、仪节、修持、经卷等都是传统的。

民国以后又出现了一些改良的会道门，如同善社、悟善社、万国道德会、正字慈善会、蓝卍字会、红卍字会等等。它们在全市遍设坛场、道院、宣讲所。还举办一些慈善事业，如粥厂、暖厂、施医舍药、白抬白埋以至办中小学校。有的还出版布道的期刊、书籍，它们在当时已经成为公开或半公开的宗教团体了。

至于那些跳神顶仙者流，如顶胡（狐狸)、黄(黄鼠狼)、白(刺猬)及柳(蛇)所谓四大门的巫婆、神汉们，也大量存在，而且十分活跃，但因为他们并不具备完全的宗教形式，所以不能算是宗教。

道不同不相为谋

陈嘉祥

《时事新报》1907年创刊于上海，早期是进步党研究系的机关报，后由张竹平接办。1934年

该报因参与“福建人民政府”的活动，被国民党接管，成为孔祥熙主办的报纸。抗战开始后，该报内迁重庆复刊，先后由魏道明、崔唯吾、张万里等人主持。1944年4月，高清孝出任社长。高是燕京新闻系毕业生，早年在北平从事新闻工作，后任财政部总务司司长。他和孔祥熙的关系比较密切，但思想并不一致。他接任后，邀聘林仲易担任总经理，林亨元任经理，孙伏园担任总主笔，詹辱生担任总编辑，陈翰伯担任资料室主任。他们或为知名民主人士，或为共产党地下党员。在他们主持下，《时事新报》的言论与新闻报导，时常出现与当时国民党政府“国策”相抵触的文字，使该报由一保守报纸转变成激进的报纸。这种情况，自然不会为国民党所容许。因而这种局面仅仅维持了半年，便遭到扼杀。当年10月31日，张万里突然来社，声称奉命接管《时事新报》。这个突然袭击，激起了报社人员的极大愤慨。那时我在该报担任国际版编辑，也是高清孝邀聘去的。记得当晚上班时，一进编辑室，詹辱生、孙伏园便告诉我说，张万里即来接管，经理部和编辑部大部分同事决定引退以示抗议，问我有何意见。我当即表示决和大家共进退。随后，资料室同事在陈翰伯带动下，也都决定当晚离职。像这种编辑部(包括资料室和校对人员)集体离职的事情，在中国新闻史上尚属首次，在重庆报界引起很大的震动。

“贵为票”和“富有票”

陆文郁 遗作　王大川 整理

戊戌政变失败后，西太后复行训政，并立载漪之子溥儁为穆宗(同治)之后嗣，称为大阿哥。时康有为、梁启超均逃往国外。梁启超往日本，留在横滨办报。康有为赴美洲，倡导保皇(光绪帝)，成立“保救大清皇帝公司”，广向各界华侨人士募集股本，每份金额为美洲银一圆，并发给凭证，用为将来换取国内开采五金煤矿股票之用。份额不限，以多为贵，故又称“贵为票”。

“富有票”系康、梁等人在沪所设的“富有山”仿哥老会散发票布办法发放的凭证，暗寓富有四海之意。其票为上海洋纸石印，横书“富有”二字，直书“凭票发足典钱一串”文，前有编号，后有年月，背有暗口号及印记。写刻篆印皆极精工。用千字文编号，每字一千张，上海共刊印三十多万份。及至康、梁失败，六君子案发，唐才常密谋举事勤王，纠合两湖志士欲夺武汉。事泄，唐才常被擒获处死。张之洞治此狱，株连甚广。

津地学生凡与“贵为票”、“富有票”有关系者无不被难。我的一个亲戚赵树纲，是育才馆的学生， 和另一个曾教我旧学的高老师的亲戚姓殷的，也是学生，均在彼时被杀。

日记者报导南营之战

于　辉

1900年(光绪二十六年)6月16日,帝国主义列强在大沽口点燃侵略战火。十二小时后,大沽口两岸的大小炮台相继失守。而作为大沽炮台左翼防地的北塘南营炮台,时隔三个月才陷入敌手。

原来,庚子时的北塘炮台,已非先前可比。当时督直的李鸿章汲取第二次鸦片战争的教训,着重加强了北塘炮台,特别是南营炮台的防务,以防御敌人由此登陆。这时的北塘南营有火炮三十余门,其中有先进的线膛炮多门。火炮阵地,用五尺厚的水泥筑成掩体。而守将孔志高又善于利用炮台前广阔的滩涂,密布地雷,使敌不敢冒然接近。

是年农历八月初一(1900年8月25日),担任八国联军总司令的德国元帅瓦德西,决意要拔掉北塘南营炮台这个钉子,命令沙俄海军中将基尔德布来特率部攻取。深知北塘南营防务底细的基尔德布来特,不敢孤军深入,要求与德军一同前往。瓦德西无奈,只得批准德、俄合兵,开赴北塘。翌日下午,德、俄由天津起兵,当日傍晚兵至北塘。随军的日本记者佐原笃介追叙当时的情形，写道：

德兵为中军，俄兵为左翼。行四英里远，各兵下车，涉盐池泥泽而行。所有衣服俱已垢湿，不堪设想。后即闻四面炮声隆隆，天黑不可辨也。夜半二点钟，俄炮队向炮台开炮六十响后，对面方有应炮声……行二英里后，天已渐明，两军交战亦更急。华兵(清军)奋勇异常，各军多有受伤……各军又进一英里远，其左近忽有地雷炸发。各军炮火亦甚烈，不及五分钟之久，又有地雷炸发，其声盘旋不已。其所炸发之处，有马队官兵二员，人马均被炸裂，高飞其肢体，落在二十码外。各军俱张皇失措，因恐地雷复发也。(《拳匪记事》卷二)

这场地雷战，共炸死敌军三十二人，炸伤一百六十多人。然而，正当炮台将士斗志旺盛之际，却被李鸿章强令撤退，让历史留下了一件憾事。

就当时双方的力量而言，已成孤岛的北塘南营炮台，不可能持之以久，最终逃不脱被敌占领之厄运。但我们从佐原笃介的描述中看到，处在绝境的清军将士，义薄云天，不怕牺牲，决心与敌血战到底的英雄气概，即使外籍记者，也不得不尊重事实，将我中华民族之爱国抗敌精神报导于天下。

鲍毓麟与李大钊安葬

周骥良

如今已是年逾九十的鲍毓麟，倒退六十年恰是风华正茂，肩负北平市公安局局长重任之时。那时公安局每天都派两名便衣警察守候在宣武门外的法源寺内。那里有几排停灵的房子。中国共产党创始人之一的李大钊的灵柩就放在那里,不时有不明底细的进步青年前往吊唁,结果被捕,轻者取保释放,重者拘留扣押。鲍毓麟觉得十分内疚,学生的抗日救亡意志很高,跑到那里去铭心誓志,何罪之有?可便衣警察设在那里多年了,他又不敢贸然撤去。恰好这天第一科科长邵笃安呈上一份报告，是李大钊的妻子请求安葬李大钊于万安公墓的。他毫不犹豫地在上面写了个“可”字。

万没想到,出头的是李大钊的家属,送葬的却是好几千青年学生,而且有花圈有挽联,还有一些标语。这事立即被蒋介石派驻北平宪兵三团的蒋孝先侦悉,一个密电上去,鲍毓麟被停职了！鲍这人讲情面好说话,维持地面治安维持得不错,商界人士就出来请愿。蒋孝先又一个密电上去,停职改为免职,由当时支撑华北局面的黄郛把他的亲信余晋和调来接任。

万没想到，蒋介石跟着又有电报前来，要鲍毓麟到南昌行营候见。亲友都为他捏了一把汗，认为准是要追究批准安葬李大钊的事。鲍毓麟认为不能不去。他煞费一番心思，觉得实话好说，瞎话难讲，索性把学生爱国热情摆在前面，对这情绪只能疏导不能硬压。“九一八”事变后，北平曾有数千名大学生南下请愿之举，逼得蒋介石不得不出面接见。那是张学良的杰作，但出主意的却是鲍老。他准备就此慷慨陈词。

又万没想到，蒋介石是满面笑容见的他，陪座的尚有宋美龄，根本就没提这档子事，只是问他打算还做什么事。鲍老都婉言谢绝了。他是张学良的同窗，又是少帅的亲戚，蒋介石没法对他不客气，此事也没再深究。

天津的回民

张　仲

天津的回族同胞达十三四万人，以“大分散，小集中”的方式聚居在红桥、河北等区、街。

天津回民对所居住的城市做出过重大贡献。在明朝设天津卫以前，直沽就有了回族人。1309 年 4 月，元武宗海山曾派康里军二千人“于直沽沿海口屯种”(《元史》)。康里人原居咸海之北，现为苏联中亚地区，又称抗里或杭里人。宋代嘉熙元年(1237)成书的《黑鞑纪事》中，把抗里人称为"回回"。康里军实是蒙古贵族统领下的一支回回部队。康里军到直沽，也就是回回到了天津。

元代兵制"上马则备战斗 ，下马则屯聚牧养"。元世祖忽必烈曾令部队"随地入社"，一大批东来的回回军士在当地屯垦后，就成了该地的普通农民，成家立业。"元时回回遍天下"(《明史》)的说法，即根据于此。康里军到直沽后，再没有被召回或调走的记载，就是说，他们在津定居下来。天津回民中，现在姓沙、哈、米、海、丁、马、穆、白、龙、闪者甚多，这显然是元代回回姓氏的特征。《天津县志》卷四载，葛沽巡检所辖村庄中，有"羊回庄"村名。元人伯颜察儿就以羊为姓，后才改姓杨。

明代永乐二年皇帝"出旨迁民"。天穆村原分为天齐庙、穆家庄；穆家庄原居民即系永乐朝军士由杭州北迁者。天津刘姓回民，一支则由上元(南京)迁沧州，再迁天津的。我们张姓者，北迁路线与刘相同：先世居上元，迁河南虞城(商丘)，再迁沧州羊房村，终落籍津沽。天津金家窑，为明万历初安庆(皖)帮漕船之回民大量落籍而逐渐形成的回族聚居地。天津卫于明清之际，经济大为发展，德州、临清(鲁)、沧、青、黄骅、大厂等地回民迁入者更日为增多。光绪十年(1884)已达六千户。每户若以五口计，即有三万人。

在第二次鸦片战争、义和团运动、"五四"运动中，天津回民在抵御外侮、团结汉族以及进行民主革命方面都贡献甚大,出过马骏、郭隆真、刘清扬那样的革命家,也出过王静斋、穆芝房、杨志玖、哈荔田这样的学者。

马骏"碰头"和谌志笃"砍手"

刘炎臣

轰轰烈烈的"五四"爱国运动,是以当时各大、中学校学生为主体进行的反帝反封建运动。在天津,由各校学生代表组成的天津学生联合会形成了强大的力量。当时天津学生联合会副会长马骏(南开中学代表)和会长谌志笃(高等工业学校代表),先后不顾个人安危,以"碰头"和"砍手"表现出他们的爱国决心,震动了各方。

1919年6月9日,天津总商会参加在河北公园(今中山公园)举行的公民大会时,接受天津学生联合会的动员,当天即召开总商会董事和各行业代表六百多人的紧急会议,决定从6月10日起,全津商店一律罢市,借此迫使压制民意的北京政府惩办亲日卖国的曹汝霖、陆宗舆、章宗祥三人。天津各商店10日罢市后,直隶省长曹锐惶惶不安,想出一招欺骗商民的诡计,佯称曹、陆、章已被政府免职,别再罢市。总商会董事和各行业代表信以为真,没来得及跟各界代表商议,即宣布从11日复市。

天津学生联合会得讯,万分气愤,急派马骏等四十多人前往责问为何宣布复市。当场马骏过于冲动,用头猛向总商会木柱子碰去,幸经多人阻拦,未致成伤。总商会董事们颇受感动,深知受了曹锐欺骗,乃又决定从12日再度罢市,直到北京政府确已罢免了曹、陆、章,才宣布从14日复市。

同年6月23日,天津学生联合会在南开中学礼堂召开大会,会长谌志笃在会上对同学们说:"现在有奸人企图破坏我们的爱国活动,造谣诬蔑说学生罢课游行请愿,是受人利用,希望同学们提高警惕,免被愚弄。"谌志笃为表明心迹,当场拿出亲书的宣言,向大家念道:"学生做事,纯本天良,不为势迫,不为利诱。"并从自己防卫用的鞘内安着尖刀的手杖(俗称"二人夺")里抽出尖刀,猛向自己左手砍剁,鲜红的热血溅满宣言纸面。同学们睹状大惊,急忙扶住谌志笃,先给他包扎伤手,再护送他去医院治疗。然后把这份宣言刻印多份,先用毛边纸印出黑字,再套印红油墨,现出血红的血斑,分别送到各游行队伍,沿途散发。市民们看到这样血迹斑斑的宣言,均受感动,赞叹不已。马骏和谌志笃的行动极大地激发了天津人民的爱国热情。

张作霖赞助孙中山革命

鲍毓麟 温守善 口述 李秀娟 整理

张作霖占据东北后，曾与广东的孙中山、华北的段祺瑞订有“三角盟约”。张曾赞助过国民革命，资助孙中山银元及军需物资近三十万元，赠送步枪三万支，以充实孙中山的革命实力。来往经办人是宁武中校。孙中山当时派汪精卫北上答谢，汪曾多次在奉天多所中学演讲，向学生们宣传“三民主义”，各中、小学先后成立了“三民主义童子军”。

1924 年 9 月 18 日，孙中山先生发表了《北伐宣言》，其中提到：“奉天亦将出于同样之决心与行动……与天下共讨曹锟、吴佩孚诸贼。”其后张学良在“易帜通电”中也提到：“中山先生之三民主义，在癸亥(1923)甲子(1924)之际，先大元帅赞助最早。”足以说明孙中山和张作霖之间已早有联系，此为以后张学良毅然易帜，服从蒋介石，实现中国南北和平统一的思想，奠定了基础。

孙中山与张作霖在天津的会谈

葛培林

孙中山在革命的一生中曾与张作霖在天津有过两次会谈。

1924年10月，直系政权倾覆后，冯玉祥、段祺瑞、张作霖等先后邀请孙中山北上讨论时局问题。11月13日，孙中山由广州启程，经上海转道日本，12月4日，由日本乘船抵津。

张作霖于12月3日派专车到塘沽迎接孙中山，但孙中山3日并没有到天津。据1924年12月4日天津《益世报》载："欢迎孙中山之专车，系津浦钢车一号包车、泰山号及八十七号头等车，昨(3日)晚七点开赴塘沽迎候，张作霖通令自塘沽至天津沿站奉军，加意卫护，准今(4日)午十二点到津，各界公民齐集欢迎，随到日租界张园(今鞍山道六十七号)休息。"下午二点，孙中山到曹家花园(今二五四医院)对张作霖作礼节性访问。据5日天津《益世报》载："孙中山所乘北岭丸，前夜已泊塘沽，昨(4日)早八点由塘沽转津，赴塘迎迓之孙科、汪精卫等亦折回东站，赶赴日船码头(按：即法租界美昌码头，今营口道东头)。船抵岸时，欢迎者八十余团体，孙氏面庞消瘦，不似外间照片丰硕，登岸即乘汽车往张园用午膳,二时赴曹家花园访张作霖,谈两小时。”7 日的天津《益世报》发表了《孙张会晤时谈话情形》:“张氏首先发言问:‘先生对现在时局之取舍,合肥(按:指段祺瑞)能当此任否?’孙答:‘现在除合肥外,实无第二者可当此任,今后可全委诸合肥办理。’张云:‘先生预定滞留北京为期几日?’孙答:‘约二星期。’张复问:‘此后当赴外洋游历否?’孙答:‘一俟时局稍定,即作欧美之游。’孙、张谈话时态度极为温和,双方均得非常圆满之理解云。”

孙中山到天津的第二天,即 12 月 5 日,张作霖到张园回拜了孙中山。当时孙中山正在静卧中,孙科等走出来迎接客人。张作霖说,今天我来向孙先生说话,孙先生可以睡在床上(按:孙中山当时已病重),不必开口回答。于是,这位“关外大帅”和孙中山进行了密谈。他在谈话中劝告孙中山不要反对外国人,因为外国人都是不好惹的;而各国公使非常反对联俄联共政策,希望孙中山放弃这个政策,他愿意代孙中山疏通外国人的感情,并说:“这件事包在我张作霖一个人的身上,一定可以成功。”(据 12 月 7 日天津《益世报》)

众所周知,当时孙中山北上是抱着召开国民会议和废除不平等条约的目的而来的。所以,孙中山听了张作霖的话,觉得既好气又好笑。

醇王奕譞巡阅津沽

林开明

奉皇太后慈禧懿旨，以一等封爵加“世袭罔替”海军衙门总理醇王奕譞于光绪十二年四月(1886年5月)巡阅北洋，首先来至津沽。其随从队伍之庞大，迎送礼仪之隆重，这在天津近代史上可谓绝无仅有的一件事。

醇王(当时天津人称呼七王爷，因是道光帝第七子，又系光绪帝生父，故称)一行有都统善庆、文案恩佑、太监李莲英等文武官员、兵弁、夫役、太监共二百三十余人。四月十一日自通州乘船顺北运河南下。直隶总督兼北洋大臣李鸿章派出一支五十余只船组成的船队迎迓。醇王座船由小轮船拖带，兵役等乘杉板座船由二百余纤夫拉行，河上民船一律停泊西岸。途经马头、杨村，驻地官兵昼夜守护在岸边迎送。船队浩浩荡荡，气派非凡。李鸿章特乘小轮船至武清浦口迎迓。十三日，船到终点红桥登岸，地方官员四十余人立岸恭迎。醇王乘黄绊绿呢四人肩舆，马队前四十名、后六十名护卫。自红桥进北门出南门至海光寺下榻，海光寺前又有过境司道府县等官员迎候。十四日，醇王在海光寺受各国驻津领事谒见，按其到津任职先后分次序为法、俄、

美、英、德、日，由海关道周馥、道员伍廷芳、罗丰禄引入。谒见毕，引出至御书楼下小坐用茶烟辞退。随后醇王赴法租界海军公所武备学堂视察，百余学员持枪跪迎于门外。参观毕，醇王一行由法租界码头乘轮船赴大沽，文武官员肃立岸上恭送，津民观者如堵。船过新城，小站盛军(提督周盛波部)在南岸，北塘仁军(总兵唐仁廉部)在北岸列队跪迎，“旌旗迤逦，二十余里”。船至大沽，受大沽协副将罗荣光隆重迎接。十五日，醇王在北洋、南洋舰队十六艘舰艇护送下驶往旅顺、烟台巡阅海防。

二十日，醇王返抵大沽。二十一日观看大沽南、北炮台守兵作枪炮打靶、施放水旱雷表演。又先后到海神庙行香，视察大沽船坞。时驻北塘仁军以未及受醇王检阅为憾，遂在北岸操演，醇王隔河遥看。二十二日回天津，在法租界码头受文武官员迎接，到海光寺有盛军列队跪迎。下午参观海光寺机器局厂房，观看电爆水雷表演。二十三日，醇王到八里台阅操，检阅场上搭演武厅，醇王到时奏乐欢迎，入座，周盛波送茶并呈演操阵图。操阵“步伐整齐，一丝不乱”。二十四日，视察东局水师学堂。二十五日，到怡贤亲王祠、僧忠亲王祠、曾文正公祠拈香。中午，李鸿章在督署设宴送行。席间，醇王兴之所至命随从舞刀表演，盐运使季邦桢作画记此盛事，醇王为之写序。席终，醇王一行在督衙门前上船过三岔河口到西沽武库巡视一番后回京，李鸿章同舟送至桃花口拜别。

据有关记载，称他赏演操官兵银一万三千两，赏跟随官弁、夫役、船员一万二千一百六十八两，食用费一万七千五百两。至于为醇王一行住所增建修缮房屋、卧室摆设等费用，以及直隶督署馈赠其随员之花费，亦所耗不赀。

天津旧税局腐政一瞥

王英奎

约在1947年末，国民党财政部直接税署副署长崔敬伯（解放后曾任财政部税务总局副局长）来津视察。直接税局召开大会，局长焦宗华主持，崔作报告。焦曾谈到："都说税局不干净。别人不敢说，我们崔署长是廉洁奉公，绝对不贪污的。"崔不贪污当是事实。但突出提出这样一位高级官员不贪污，从中可以看出税局贪污现象之普遍。当时流传着"三三制"的说法，即税收国家得三分之一，纳税人逃税三分之一，官吏中饱三分之一。

贪污是各干各的，合伙的很少。检查工商户时，如查帐发现漏税，查印花发现漏贴，行贿受贿行为就发生了。据说在检查钱庄、金店等大户时，可以贪污到成条的黄金。纳税人希望把税款定低，或核定税款后申请减免，都要有税局人员从中疏通，事成后取得好处。领导人除凭借职权，贪污中饱外，还依靠属下的给与。有一位查征区主任曾自言自语地说："没钱怎么过节呀！"大家立即明白了他的意思，做些"贡献"。不直接办业务的人，也不是毫无油水可沾。如每月工资拨到后，存在银行生息，压上几天再发，便可从中得利。交通员送纳税通知书，也能得些"车钱"。

当然，狷介自爱的人还是有的。这个局的帮办(副局长)就是被公认为廉洁的人。这人性情耿直，在直接税局资格很老。解放后被留用，反映很好。

对贪污受贿的处理，基本上是民不举，官不究。一次，直接税署派来一位督察，办理一桩印花贪污案件，问题查清，找本人谈话，准备逮捕。这人见势头不对，乘人不注意跑掉了，就不再深究，登报通缉了事。另一次，有人因敲诈被控告，法院从宿舍里把他逮捕、判刑。事后纷纷议论，说他太大意了，如果在外边躲避几天，也就没事了。解放后，此人被放出来，还找到税务局，要求工作，未被录用。

1948年，正当蒋经国在上海"打虎"之际，南京派来经济检查团。一天，报纸头版头条大标题是"胜利桥畔一大虎"。内容大意是经济检查团多日调查，胜利桥畔确有一大虎，问题已弄清，准备处理云云。直接税局坐落在胜利桥(今北安桥)畔，大虎无疑是指局长了，但以后却无下文。过了一段时间，局长举行记者招待会，做"述职报告"，说明一段时间内所做的工作，税收完成情况等，会后设宴招待，每人送衣服料一件，遂不了了之。

赛尚阿与大沽防务

于　辉

鸦片战争时期,在筹办大沽防务中,有一个举措卓著的人物,他就是先于僧格林沁被任命为钦差大臣的赛尚阿。

赛尚阿,字鹤汀,姓阿鲁特氏,蒙古正蓝旗人。嘉庆二十一年,以翻译举人授理藩院笔帖式,在军机处从事秘书工作。道光十五年,擢升理藩院尚书。

鸦片战争期间,英兵舰北上威胁大沽口。赛尚阿奉命赴大沽查勘防务。这期间,他会同当时任直隶总督的讷尔经额一道加强大沽海口南北两岸炮台的工事。分别在南北炮台前添筑土垒,垒前添筑土埂,垒外筑拦潮坝,坝内容兵,坝外开深壕。并置备土袋数千,外可拦潮御炮,内可掩兵设伏。可谓层层严密,兵有掩体,炮可及敌。

道光二十二年(1842),赛尚阿被任命为钦差大臣,专门负责统帅和操练大沽各营的马队。当时麇集大沽的马队共有二千多名官兵,他们与当地居民杂处。这样,不仅兵民不得相安,而且后方空虚,遇战失之策应。为此,他奏请清廷批准,开辟了沿海后路,分驻马队。当时被开辟的后路,大沽以南有新河、羊二庄、商格林;大沽以北有北塘、洋河口，以及丰润县的李八厫，滦县的柏各庄，乐亭县的马头营、汤家河，昌黎县的周家营等。显然，这是一项颇有见地的举措，其战略意义极为深远。同时，这些经济、文化上的不毛之地，也因而得到开发。

脚行·混混儿·青帮

李世瑜

天津成了转输粮食、商品的水旱码头之后，相应发展起来的一种行业就是搬运业，俗称脚行。这种行业成员都是赤贫穷汉，许多是外地来的。他们强悍、勇敢、讲义气，但也好斗狠。他们也有组织，有脚行头，下面还有“大把儿”、“小把儿”。脚行头对脚夫的盘剥很厉害，官方不仅不干涉，还为他们划地界，允许他们世代专利，发给他们“龙票”、执照、许可证。

与此相仿，还有一种把持其他行业称霸一方的恶棍，称为“混混儿”的，比脚行把头还要厉害(自然脚行把头也是一种“混混儿”)。他们讲究摔打碴刺，讲究白手拿鱼，扰害社会殊甚。清末以来虽然多次严厉镇压，也只能是暂时使之收敛。

青帮起源于清雍正年间，原称安庆道友会，是漕运水手中间的一种秘密结社，有帮规和仪式，长期在运河漕运中保持封建行帮的地位。运

河漕运停废后，水手们大半弃舟登岸，多数转业为脚行，青帮组织也就跟着发展到各沿运河的城市之中。

本世纪20年代，济南有个叫厉大森的青帮头子来到天津，一下子扎根在脚行、混混儿之中。他广收门徒，著名的有两个：白云生和张逊之。白又收徒，著名的有袁文会和巴延庆。袁、巴都是脚行头，也是混混儿。他们入了青帮之后也广收门徒，二十多年中他们不只继续把持脚行，还聚赌包娼、走私贩毒、杀人越货、倒卖军火、投靠日伪、充当汉奸、组织叛乱、残害革命同志、镇压爱国运动，可死之罪，擢发难数。解放之后他们全被镇压，这种脚行、混混儿、青帮三位一体的罪恶组织才从历史上勾销掉。

一个银行家的哀鸣

刘续亨

1937年12月23日，伪北平中华民国临时政府行政委员会委员长王克敏召集天津中国银行卞白眉、交通银行徐柏园、金城银行王毅灵、中南银行王孟钟、大陆银行许汉卿、北京盐业银行岳乾斋、伪河北省银行王荷舫、伪冀东银行夏运生等人，在北平外交大楼开伪中国联合准备银行筹备会。由王克敏亲自出席主持会议，当场宣布拟定的各行认股额：中国四百五十万元、交通三百五十万元、北四行及伪河北省银行各八十万元、伪冀东银行五十万元，共计一千二百五十万元。当场强令各行负责人签字认股,并且要在2月1日以前用现银元交纳股款。中国银行卞白眉首先发言,表示分行经理无权签字认股,交通及北四行随之表示入股须请示总行,当场不能签字。当时日本军方代表及日本顾问坂谷希一环视左右,大汉奸王克敏、汪时璟等人处境十分尴尬。王克敏曾任中国银行总裁,与卞白眉共事多年,彼此关系甚好,他希望卞白眉带头认股,其他各行亦必随之而承认。但卞白眉不为所动。最后王克敏鉴于事成僵局,难于向主子交待,遂亲自拟定出"卞白眉尽量筹集"七字,强令卞白眉签字。这样做法仅仅表示由卞尽量筹集,而不是中国银行认股。卞白眉在被迫不得已的情况下,写下"卞白眉尽量筹集"七字,汉奸们在日酋面前才算下了台。卞白眉心中万分难过。他在1937年12月23日日记中写道:"签字后难受之至,以前之我已自今日死,以后仅行尸走肉活死人耳",并在日记四周用毛笔划上黑框,并书写"卞白眉精神死亡"一语,以示忏悔。1937年12月25日,他致电两座(即宋子文和张公权)报告经过详情,并请求予以免职。不久中国银行总行在香港开会,电令卞白眉去港出席,经与王克敏、汪时璟联系,并得日方同意,卞白眉于1938年2月12日搭英轮只身离津去香港。抵港后成立"津港处"遥领天津分行职务。中国银行入股伪联银一事,遂成空议,北四行亦因缺乏资金,无力交纳。王克敏、汪时璟了解实际情况后,同意从北四行上交的现洋中虚转一笔,即算各行

入股。这样北四行并未拿资金入股,所谓联合准备,实际上只是一场骗局!

卞白眉拒向敌特付款

刘续亨

1938年1月,一名日本军人突然到天津中国银行,要求面见经理卞白眉,说有要事相商。在卞白眉接见时,这个日本军人当面把王克敏一封亲笔信交给卞白眉。王在信中令卞白眉交给济南特务机关法币十万元。卞见信以后,认为凭王的私人信件即交济南特务机关巨款,不符合银行贷款规定,应俟办妥借款手续,方能交款。他一方面对日本军人说明银行不能立即交款的原因;另外马上通知北京支行负责人杨朗川转告王克敏,说明情况,并要求王克敏转饬有关部门,按照银行规定办理借款手续,方能付款。王克敏因济南特务机关急于用款,不敢延误,只得在北京另想其他办法如数交上,而不敢得罪"皇军"特务机关。王克敏是华北傀儡组织头号大汉奸,与卞白眉共事多年,取款者又是皇军特务机关,凭他的亲笔信如数照交,在那黑暗岁月已是司空见惯的小事一桩。但卞白眉不畏强暴,不阿谀权贵,不为日寇凶焰所吓倒,坚持原则,大义凛然,确属难能可贵,令人景仰。

国宝金编钟在津蒙难侧记

刘续亨

1922年逊清末代皇帝溥仪举行结婚大典，急需用款。逊清内务大臣绍英、耆龄等与北京盐业银行经理岳乾斋洽商借款四十万元，以清宫珍贵历史文物一套十六件金编钟以及玉器和瓷器等为抵押品。期限一年，月息一分。这套金编钟是1790年乾隆八十大寿时各省督、抚呈献的祝寿贡品，全部用黄金铸造，重达一万一千四百三十九两。1923年到期时，溥仪无力偿还，形成呆帐。1924年溥仪被逐出宫，还款无望，该行遂将此笔贷款，转入呆滞放款项下，抵押品编钟列为帐外物资，隐藏起来，并送东交民巷外商银行保管库密藏。当时北京报纸曾揭发此事，内务府在报上辟谣，盐业银行亦矢口否认。“九一八”以后，该行惟恐东交民巷不保险，时天津分行在法租界新楼已落成，内有保管库，于是决定将编钟及玉器、瓷器等于1932年由北京秘密运津。编钟存盐业库内，玉器、瓷器存四行储蓄会库内。1939年第二次世界大战爆发，日本与德、意结成轴心，日本军、宪在法租界横行，法工部局亦不敢制止，并谣传日军要接管法租界。天津盐业银行经理陈亦侯对库内密藏编钟深感不安，请示

总经理吴鼎昌（时任贵州省主席），万一无法保存，应如何处理。吴回电"毁"。陈认为编钟系国宝，毁之太可惜，但法租界又不安全，遂与四行储蓄会经理胡仲文将编钟转移该会地库内密藏。在1940年四五月间，陈、胡约定在夜间十一时左右将编钟分装四个木箱中，由陈的汽车分两次运到四行储蓄会。为避人耳目，汽车一次由中街直送，一次绕行佟楼再转回来，由陈的汽车司机杨兰波和储蓄会经理室工友徐祥二人装卸。将编钟存在一个小空库内，钥匙由胡仲文保管。胡又令庶务买了几吨煤末堆在库门口。在此期间，日军及领事馆曾几次前来盘查。抗战胜利后，国民党有关部门亦曾去了解，陈都推说不知其详。1949年1月15日天津解放后的第三天，胡仲文即致函天津市军管会，将编钟及玉器、瓷器等全部上交。国宝编钟终于回到人民手中，现陈列在故宫博物院珍宝馆内，公开展出。

一桩"权""权"交易内幕

刘续亨

四行储蓄会创立于1923年，由金城、盐业、中南、大陆四家银行共同出资一百万元（每行二十五万元），故名四行储蓄会。申请注册时批准营业期限为二十五年，至1948年营业期满即应结束。抗战胜利后四行负责人吴鼎昌、周作民、钱新之等人鉴于该会在社会上有很高信誉，1935年存款最高额达九千余万元，是全国储蓄银行中业务最有实力者之一。且历年在外购买大量外币债券，获利颇丰，同时该会存款转贷四行开展业务，尤为重要。因此吴、周、钱等人认为四行储蓄会仍有继续经营与四行并存之必要，遂通过张群请示最高当局允准，于1946年初正式提出申请撤销四行储蓄会，改组为联合商业储蓄银行。原定资金为法币五百万元，由国外资产转来，借用职工名义为股东，但不能享受股东权益。申请呈上以后，时过多日一直未见批示。当时财政部长俞鸿钧深悉内情，自当遵办。实际上此案卡在钱币司长戴铭礼手中，不予批准。戴与钱新之素有交谊，钱新之遂往戴处探询，戴表示他已厌倦从政生涯，有意从事金融事业，另辟蹊径；并托钱转告周作民，申请马上即可照准。周、钱洞悉其意，认为如能将戴拉过来，对四行亦有方便之处。周为满足戴的意图，本想给戴以联合商业储蓄信托银行副总经理之职，而钱愿让出他担任的总经理一职与戴，自己专任董事长，吴鼎昌对此亦无异议，双方达成默契，申请随之批准。四行储蓄会改组为联合商业储蓄信托银行，于1948年8月1日正式开业。戴铭礼弃官为商，摇身一变成为联合商业储蓄信托银行大老板。

褚玉璞敲诈“北四行”八十万元

刘续亨

1926年，奉系军阀直鲁联军盘踞天津及津浦沿线，张作霖任命土匪出身的军长褚玉璞为直隶省长兼督办。当时北洋军阀连年混战，天津市面极度萧条，种种苛捐杂税和摊派罗掘俱穷，商民苦不堪言，省库一空如洗，只能靠直隶省银行发行不兑换的钞票支应军政费用。但由于深受蹂躏的市民及工商各界拒绝使用，致使其无法在市面流通。褚氏指使直隶省银行出面强行向天津盐业、金城、中南、大陆四行(以下简称北四行)借款，并以未发行的省钞为抵押。事隔不久，不知何故，褚氏闻知北四行动用未发行的直隶省银行抵押的钞票，勃然大怒，扬言非严办不可，并派天津警察厅督察长丁振芝，官产清理处处长谭温江查办此事。这是褚氏想藉此敲诈北四行的恫吓手段。当时天津银行公会会长卞白眉鉴于褚氏蛮不讲理，遂出面调解，托直隶省银行马惠阶、直隶财政厅许冠英从中疏通，马、许二人亦愿为之奔走，这既可送情于四行，又可使褚氏敲诈得逞而邀功。为了恫吓北四行，最初谣传要引渡大陆银行经理许汉卿受审。不久又传出褚氏殊怒，要四行各认罚五十万，并称已下传票拘捕四行负责人。卞白眉鉴于事态发展严重，褚氏敲诈巨款无法应付，惟有去北京与四行总处负责人商量，同时要求警厅暂缓二天拘捕。四行负责人吴鼎昌、周作民、谈荔荪、胡笔江等人在京托潘复(奉系张作霖大元帅政府总理)转请张宗昌出来调解，卞白眉由谈荔荪陪同，在潘家与张、褚见面，褚氏余怒未消，潘、张从中调解，商定以山东省公债为抵押，向天津四行借款八十万元，不用另交现款。大约在是年 8 月底，在卞白眉鉴证下，双方办理订约发款手续，军阀褚玉璞藉故敲诈北四行一事，至此结束。卞白眉在日记中记述当晚情况："潘宅宾客盈门，皆系权门乞怜者，流杂成群，歌妓酣歌狂舞，骄奢淫佚之态不可名状，余初次见此颇为不怡。"这正是当时军阀政客们丑恶嘴脸的真实写照。

日宪兵逮捕天津金融工商业者

刘续亨

在沦陷时期，天津银钱两业，不但在业务经营上陷入困境，而且人员人身安全毫无保障。1944 年 3 月的一天深夜，日本宪兵队突然拘捕了一批金融工商界知名人士。包括金城银行天津分行经理王毅灵、副经理夏采臣，交通银行天津分行副经理方静如、营业员马景达，新华银行天津分行经理俞君飞、副经理陈倬人,寿丰面粉公司副经理孙冰如,宏中酱油厂经理李惠南等。他们在宪兵队关押期间多次受审,倍受折磨,苦不堪言。交通银行营业员马景达身体多病,不堪折磨,竟瘐死在囚牢之中。这些被捕人士身陷囹圄长达数月之久,令人愤恨无已!

日本宪兵队对被捕人员进行审问的同时,还到各银行盘查帐目,尤其是严查沦陷六年来有关汇兑往来帐目,逐笔进行检查,并令各行将六年来每笔汇款的汇款人姓名、汇往地点、汇款金额、收款人姓名,一式六份,抄送宪兵队。日本宪兵队企图检查各银行是否与内地通汇,但没有查出破绽。最后还是被捕者家属托人向宪兵队行贿,才使这些人具保释放。金城银行副经理夏采臣押了两个月就释放了,但经理王毅灵未能与夏同时释放,无奈金城银行副经理续子宪托人给宪兵队主办该案的宪兵及翻译特务等人送去多套西服毛料,又请客吃酒,王毅灵才于6月间被释放。日寇暴行,令人发指!

天津开埠前后的旅馆业

杨大辛

天津在历史上一向以水陆码头著称。交通运输事业的不断发展,奠定了天津成为北方中

心城市的经济基础。发达的水陆运输，促进了商品贸易的兴旺，清乾隆年间诗人杨一昆写过一篇《天津论》，是这样开头的："天津卫，好地方，繁华热闹胜两江，河路码头买卖广。"可以想像二百多年前天津市场的繁荣景象。与交通、商业密切相关的旅馆业，也随之昌盛起来。在旧社会，围绕着码头这个基地，有所谓"车船店脚牙"的营生；车船指运输业，店即旅店，脚系脚行，牙乃经纪人，彼此息息相关，都是吃"码头饭"的。

古代天津旅馆业的状况如何，史籍上未见记载，说不清楚。清代张焘的《津门杂记》中有一小节记述，原文不长，照录如次：

> 天津为水陆通衢，旧有客店在西关外及河北一带，约有数十家。自通商后，紫竹林则添设轮船客栈十余家，粤人开者居多。房室宽大整洁，两餐俱备。字号则有大昌、同昌、中和、永和、春元、佛照楼等。每有轮船到埠，各栈友纷纷登舟揽客，照应行李，引领到栈，并包揽雇马车、买船票及货物报税等事。此外，又有山东客栈，如人和、协和、信合、四合等字号，专接登莱、青、东三府商旅栖寓云。

《津门杂记》一书，初刊于清光绪十年(1884)，彼时天津开埠已二十四年。张焘所记虽不过一百四十余字，却把一百多年前天津旅馆业的风貌如实地记录下来。这一段文字提供了两个历史情况：一是早期的天津旅馆多开设在南运河畔，这自然与水上运输的畅通有关；二是天津开埠后海运日兴,在紫竹林(今吉林路、哈尔滨道一带)出现了许多轮船客栈。这些新兴旅馆,兼办托运、报关等业务,与旧式客栈迥然有别,应视为天津旅馆业步入近代化之始。

旅馆业的进一步发展则与铁路运输的兴起有关。1888 年唐山至天津段铁路通车;1892 年建成老龙头火车站;1894 年天津至山海关段通车;1901 年天津至北京段通车;1910 年天津至沧州段通车;1911 年津浦线全线通车。在车站附近,旅馆业与铁路同步发展,不几年便开设了二十多家,其中还有俄国人办的(因火车站毗邻俄租界)。由于铁路的货运量猛增,货栈业的发展更快。最早的货栈是坐落在马家口的锦泰栈,开业于 1890 年,专营泊镇鸭梨(梨栈的地名即由此而来)。老龙头车站建成后,在车站附近的海河两岸,先后开办的货栈有二三十家之多。

津门旅馆谈往

杨大辛

自 20 世纪开始,天津的投资者们开发城南洼,后来形成南市商业区。在这一地区,除了兴建了为数众多的游乐场所、饭馆、妓院及商店而外,也盖了许多旅馆,而且越盖越多,形成旅馆业集中区。有资料表明,在 40 年代末,南市有大小旅馆近

二百家,约占全市旅馆业的三分之一。南市旅馆业所以发展如此之快,与黑社会势力的插手有直接关系。一些帮会、流氓头子以旅馆为根据地,从事走私、贩毒、设赌、拐卖妇女等罪恶活动。南市毗邻日租界,日本特务、浪人也混迹其间,以旅馆为联络点,进行不可告人的阴谋勾当。日租界的几家著名旅馆如德义楼、新旅社、大北饭店、息游别墅、大同公寓、万国公寓,无一不是贩卖毒品或策划政治动乱的巢穴。旅馆在黑社会势力把持下,成为藏污纳垢的罪恶渊薮。

英、法租界里的旅馆,最早的一家是建于1895年的利顺德饭店(其前身利顺德洋行,建于1883年,也兼营旅馆业务),至今已近一百年,历经沧桑,饮誉不衰。继利顺德之后,又先后开设了皇宫、裕中、六国、泰来、北辰等大型饭店。在20年代前后,天津的商业中心从原来的旧城区逐渐向日、法租界转移,并随着1928年劝业商场的建成,被称之为“小巴黎”的法租界繁华区的格局从而形成。其间,1923年建成的国民饭店,1928年建成的惠中饭店,1931年建成的交通旅馆,1935年建成的渤海大楼,构成了“小巴黎”风景线的主体建筑。其后,又陆续建成巴黎、孚中、伦敦、世界等多家饭店。到40年代中期,在日伪政权统治下,天津旅馆业由于投机生意的猖獗,社会风气的败坏和有产者腐朽糜烂的生活方式,不少旅馆成为奸商、暴发户、舞女、妓女、交际花、流氓头子、江湖术士充斥其间的黑暗魔窟,使正当的客商、游人望之却步。

天津旅馆业对革命的贡献

杨大辛

许多革命家在天津反动政权统治下从事秘密斗争,不少是以租界里的旅馆作为掩蔽所的。

1911 年 10 月武昌起义爆发后,全国各地纷纷响应,而北方尚处在清廷的严密控制之下。当年 11 月,湖北军政府派胡鄂公秘密来天津策动武装起义,就住在法租界的长发栈。他把当时天津的十几个革命团体组成北方革命协会,在 1912 年 1 月 29 日响起了起义的枪声。这次武装行动虽然失败,却加快了清廷崩溃的进程,十四天后宣统便宣布退位。1926 年 2 月,共产党领导的全国铁路总工会,为了推动全国铁路工人进一步展开推翻北洋军阀统治的斗争,在天津秘密召开第三次全国代表大会,全国十八条铁路的五十八位代表住进法租界的国民饭店。会期十天,圆满地完成了任务。1928 年 12 月,周恩来受中共中央委派,秘密来到天津,组建顺直省委,住在日租界北洋饭店。转年 1 月在法租界佛照楼旅馆举行顺直省委首次常委会,组成顺直省委。抗日爱国将领吉鸿昌 1933 年在张家口组织察绥抗日同盟军受挫后,蛰居天津,以国民饭

店为联络点，经常与各方面抗日爱国人士接触，继续从事抗日活动。国民党特务1934年11月在国民饭店暗杀吉鸿昌未遂，串通法租界当局逮捕了吉鸿昌，解往北平后壮烈牺牲。1938年，共产党地下组织从冀东多次派来的筹划举行抗日暴动的联络人员都住在国民饭店，终于在当年7月发动了有二十万人参加的声势浩大的冀东抗日大暴动。

从以上几件史实不难看出，各个历史时期的革命活动，都曾经利用过旅馆为掩体，这绝非偶然现象。旅馆业处于不自觉的状态下，为革命事业作出过贡献。

早年天津的“鬼市”

孟寒松

所谓“鬼市”也叫破烂市。因为上市的时间在天亮以前，必须打着灯笼(后来有手电筒)，市上人来人往如鬼影憧憧，其中还有来历不明的“小货”到市场上销赃，因多是见不得人的交易，故被人们称为“鬼市”。

据父老传闻，“鬼市”最早形成约在民国元年(1912)前后，地址在今西南城角，旧日比国电车公司附近。当时南马路、西马路还很荒凉，居民也不多，西南城角迤南大片土地除无主坟墓

外(或称乱葬岗子),即臭水坑。后来由于西南城角木商盖起板厂，其他小本经营的门面和居民的简易住房渐多,“鬼市”也逐渐南移。至20世纪20年代末已改在东至南开区华家场,西到养鱼池,南自靶挡道,北迄广开中街一带交易。

市上交易的时间,由天未亮开始至晨八时,不过三个小时，有少数流连不去的皆因货品滞销,或索价过高。小贩大多数为文盲,无组织无纪律,打架之事时有发生。下市后一般都在下午上街收购,从细毛皮货、硬木家具、古玩字画、瓷器旧书、金银首饰、座钟挂表到新旧衣服、废铜铁、破鞋袜,包罗万象。有一次笔者还见到市上陈列一具上过八道漆的棺材出售，可见其经营范围之广。

40年代中期,笔者失业家居,因喜搜罗破旧字画,经常涉足其间。比如字画、书帖,小贩按废品价收来的,拿到市上当物件卖,当然他不知价值多少。买主如果挑挑拣拣买,他就当成宝贝,胡乱要价,你越添钱他越不卖,倒不如论堆买容易成交。

每天上市的以小商人居多,都是内行人,各有各的路子。我听说有位小学教员在市上买到一幅洪秀全写的字挑，又有人买到一幅阮大铖绫本字挑(阮为明末阉党,因不齿于人,墨迹流传甚少),都是难得一见的文物,后来不知下落。还听说有人见到一对铜仙鹤,眼睛是珍珠镶嵌的,此人只买走四颗珠子，回去后与人谈到此事及仙鹤形状,友人说铜锈是绿的,黄金的锈是红色的，既用珍珠镶眼睛不可能是铜的，转天再去看，该物已被别人买走。以上情况说明，破破烂烂之中无所不包，无奇不有，但“好货”并非每天都有，可遇不可求。

那时各行各业小商人都把破烂市当为主要货源，每日早晨到市上转两圈，照他们的话说叫做“抓货”。由破烂市起家的有一位王子衡，后来在故物市场大街(老电车公司附近)经营起古玩店。还有位李某，在南马路干起叫卖行。这两家经理都是文盲，但见到古玩字画都敢要，敢出价钱。

解放后破烂市也组织起来了，改名为“天明市场”，个体小贩设摊必须天亮以后，不准摸黑成交，市场交易才逐渐走上正轨。

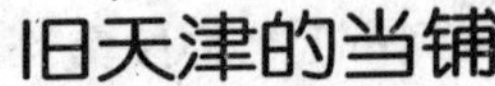

旧天津的当铺

王槐荫

天津的人口，明清时期随着城市的发展而日益增加，其中缙绅盐商为数甚少，而属于一般劳动人民的小商、小贩、渔民、船户则占绝大多数。他们的生活并无保证，于是当铺就成了他们饮鸩止渴的去处。据清宫内务府档案载，在乾隆三十年(1765)已有太监在天津设当铺之记录，名为恩丰当、恩吉当、恩露当。

据当行老人王子寿回忆，在嘉庆十七年(1812)天津当商成立了津邑当行公所，在北城壕(今北马路北门东)，原来的胡同即以"当行公所"为名，今已改为先进里。至1929年为止，它在此办公长达一百十七年之久。

据天津伪社会局1942年记载：1934年时，天津有当铺二十四家，到1937年，全市已有当铺一百零二家。以当铺名称为地名的里巷仅河北区即有八处之多，红桥区也有三处。

天津开设当铺的，最初多为盐商，八大家的长源杨家，即设有四十余家。振德黄、杨柳青石家、土城刘家等均有开设。军阀、地主、官僚也纷纷投资于典当业，他们设立的当铺约占全市当铺的百分之七十左右。

清朝时开当铺须领有"当帖"，也称"龙票"，即营业执照。建筑物亦宽大坚固，门前悬挂告示牌。有的竖盘龙旗杆，营业间柜台有一人高，设坚固木栅，以防抢劫。店伙称为"朝奉"。壬子天津兵变时，有二十家当铺得免于难，即系因建筑物牢固所致。

当时天津城区的质当者多系劳动人民，也有没落的大户。租界内当铺的主顾，也有没落的官僚军阀。赌徒、小偷、扒手也是当铺的常客。

由于当铺收进的货品非常庞杂，从衣服杂物、金银首饰到珠宝玉器、古玩字画，几乎无所不包。根据典当行规过期不赎，即为死当，由当铺处理，因而也派生了一些其他商业行业，如估衣街，即系由于出售当铺处理的衣服而得名。北门内之金珠店，也经销当铺收进的金银饰品。死当的珠宝玉器古玩，曾成为大罗天、劝业场等地古玩商追逐的对象。

当铺开当票使用的文字——当字谱是一种独特的文字，是一种接近于行草，而实际脱胎于王羲之十七帖的文字，有些则接近今天的简化字。

鱼锅伙——旧时天津的鱼行

王槐荫

天津东临渤海，洼淀密布，地处南运河、北运河、子牙河、大清河等几条河流下梢，无论淡水的鱼虾或咸水的各种海产品都非常丰富。天津人对这些水产品则嗜之如命，如果在某种鱼虾应市季节没有吃到，会引以为憾事。天津民谚就有“典当吃海货，不算不会过”之说，可见食癖之深。

鱼虾类水产品，从捕捞到消费者手中，要经过四五道环节，其中盘剥最严重的是由混混(流氓)组织的鱼行，天津俗称之为鱼锅伙。鱼锅伙是聚众成伙同锅吃饭的意思。这是个牙行性质的生意，但他们比其他行业的牙行还厉害，本身既无资金又无设备，靠的是一张嘴两杆秤，多的也不过多几个鱼篓，一个帐桌，一本流水帐(行话叫溜子)，完全靠耍嘴皮子给买卖双方搭桥，从中吃“过水面”。双方各付佣金百分之十，而货款又往往不能立即交割，他们也无钱垫付，赊购赊销，经常发生纠葛。收货的秤用三十两的截半秤，卖货时用十六两的秤，一进一出即白吃十四两。成交的价格多由他们作主，而卖主不能提出异议。在鱼行里专管过秤和分鱼的伙计叫“大篓”，并无工资，而靠从成交的货中捡出一部分好货，份量折半计算，还扣佣金，作为他们的收入。渔民在冬季停止捕捞生活困难时，他们则乘人之危，利用高利贷“放冬帐”，借款给渔民。转年开春捕捞时，全部的产品必须由“放冬帐”的鱼锅伙代卖，价格多少，如何结帐，由鱼锅伙说了算。

鱼锅伙虽有这些罪恶行径，但由于他们与官府互相勾结而受到官府的庇护，渔民有多大冤屈也无处可诉。即使告状，也难动其毫毛，结果反而更受其要挟压榨。

这些混混不但盘剥渔民鱼商，他们之间也往往为争生意、争地盘而互相倾轧，以致聚众群殴、死伤人命案件屡有发生。

清政府于光绪三十四年(1908)下令取消私人鱼行，成立官办鱼业公司，统一经销进入天津市场的各种水产品，当时称之为官鱼行。但他们对渔民、鱼商的剥削较之鱼锅伙有过之而无不及。索贿受贿，敲诈勒索无恶不作。官鱼行随着清朝的覆灭而寿终正寝，鱼锅伙因而又复活，直到1949年天津解放才全部歇业。

津门老街——估衣街

张 仲

在天津旧城北门外，有一条并不太宽的小街，但路两侧建有许多各式楼房，这就是古老的估衣街。

明代天津巡抚李继贞，受津人崇敬，死后给他建有一座“李公祠”，据史料记载，这座祠堂建设在马头东街。马头，或写作码头，即天津北大关，马头东街就是现在的估衣街。

天津一地，自清代雍正以后，因漕运、盐务繁荣，出现了大商人和不少富户。但因生活上崇尚奢华，经济盛衰变化既大又快，因此，天津卫有句俗话：“富贵无三辈，清官不到头。”清代有一篇《天津论》提到：“花到空囊，不得不借阎王帐。还不上，要遭殃；年节下，更难搪。要帐的一行一行：估衣铺来闹，靴帽铺来嚷，不干不净，破米糟糠。装听不见内里藏，哪知帐主工夫长，自然撞得上；揪袍掳带，舞马长枪，拉着喊冤去告状。审一堂押在班房，吩咐变产去还帐。”这样一来，他们以前穿用的鲜衣华服，就变成了估衣。在当铺中没有人赎或赎不起的“死当”衣服，也需要有个市场，于是估衣铺便应运而生。当年的估衣街及相邻的锅店街、单街子、归贾胡同，有估衣铺(庄)四十多家,其中德源号(经理陈少轩)、同益号(经理杨沛恩)、华泰号(经理张振鹏)都是颇有名气的。

估衣街的生意经是吆喝。他们把收来的估衣摆成高一米多的一堆,一件一件翻来复去,让顾客看个仔细。翻估衣时嘴里还要大声唱卖(吆喝),以吸引顾客。如:“这一件皮袄(哦),把它卖了啊! 老春绸的面,大麦穗(羊皮)的里,穿上它,三九赛火盆啊! 您要不买啊,那就后悔啦! ”如有人买,就把这件衣服挑出来,可以要价还价。他们有的还由两个人卖一堆衣服,一问一答,甲说如何如何好,乙即答:“不错! ”声音拖得很长,以引人注意。

估衣行唱卖的叫《赢藏歌》。估衣上都拴有“飞子”(小白布条),写的是明码价格;实际出卖时,估衣商人却用暗语。数字的叫法如下:

明码:1.2.3.4.5.6.7.8.9.10;暗语:肖、道、挑、福、乐、尊、贤、世、万、青。

究竟暗语的来源如何?如何使用它做代码?不得而知。总之,他们使用暗语的目的,是便于对顾客“漫天要钱”,你一还价,他们见到不低于暗码便可出售。估衣铺为推销商品,往往不择手段。为此,清咸丰时有人写过一首竹枝词:“估衣街上古衣多,高唱裙衫值几何;檐外行人一回首,不往里坐也来拖。”

估衣街当年极为繁华,范永和(洋广货)、达仁堂、谦祥益和瑞蚨祥(棉布庄)等著名老店都在这条街上。

1875年，晚清大学问家李慈铭，应周馥之邀来津讲学，先住在河北大街，曾被这里的繁华景象所吸引，说："过估衣街，廊宇整洁，几及二里，殊似吴之阊门、越之江桥。"(《越缦堂日记》)称赞它与苏、杭二州的街市可比。现在的估衣街已得到重新修整，老街又焕发了新的青春。

早年天津的竹竿巷

谢鹤声　刘嘉琛 原作　曹明贤 整理

竹竿巷位于天津城北门外，是一条两端窄小、中间较宽的东西向小道，全长约三百米。路面用大块条石铺设，两端宽度仅三米左右，中间却有五米，能通过一辆大地排车。以其细长狭窄，称作竹竿巷。还有一种传说：巷内有一家隆顺号，是天津"八大家"之一卞家的买卖，早年经营南货，因专门运销大宗竹竿生意而发迹，故命名为竹竿巷。

20世纪20年代，到竹竿巷进行交易的各地客帮络绎不绝。一些从事棉纱、杂货、药材、纸张、茶叶、麻袋的掮客，仨一群俩一伙地在路旁交头接耳，时而在袖口里互掐手指，时而高声吵嚷，争得面红耳赤，也有的扶耳低语讲价钱。当时天津各行各业包括各银行、银号、商号以及外商银行，要通过华帐房办理申汇事宜，不论是几十万甚至百万两行平化宝银或银元的汇款额，都要以竹竿巷附近的公记经纪人成交开盘、收盘行市为依据。因此竹竿巷虽小，但在经济上却占有相当重要的位置，它对促进天津金融、贸易的繁荣、沟通南北物资交流，起着很大的作用。

竹竿巷商号的建筑大多是宽阔的大四合院，青砖木结构，磨砖对缝。大漆门窗隔扇，装修阔绰讲究，古色古香，金字牌匾辉煌夺目。这些大商号，大部分都是天津著名的“八大家”中的穆家、石家和“棉布业八大家”的金桂山、潘耀庭、卞润吾、胡树屏、孙焜轩、范竹斋、乔泽颂、纪慰瞻等，以及豪绅巨商章瑞廷、大总统冯国璋、大买办魏信臣、巨商孙樾桥、赵仲山、赵聘卿等人所经营的大棉纱庄、大银号、大杂货商、茶叶庄、麻袋庄、南北货的姜厂和关东烟铺等等，可谓当时天津商业之荟萃。

竹竿巷这个小巷里，共有大商店三十九家，其中一半以上是新老“八大家”所经营的。总计这些家的自有资金，总额约在三千万两银子，素有“银子窝”之称。

“九一八”事变后，由于日本便衣扰乱，许多工商业者纷纷向租界地搬迁。竹竿巷这个商业繁盛之地随着商业中心的南移，而失去它早年的风貌。

陈调甫二三事

葛乃昌

陈调甫在长达四十五年的化学工业开发活动中，对无机、有机化工事业广为开拓，多所建树，究其成功的经验，似可归结为以下数则：

强烈的爱国心，指导他每个历史时期的趋向和活动。20世纪二三十年代，陈氏承担创建碱厂、硫酸铵厂重责，后又独力创办漆厂。事属初创，困难尤多，但他抱定“实业救国”的信念，披荆斩棘，不畏险阻，使事业终获成功，其敬业爱国之心，久而弥坚。30年代沦陷期间，日军代表曾两次来永明漆厂，强令“合作”，生产军用油漆。陈氏严嘱厂负责人予以拒绝，无论利诱威胁，都决不屈从。40年代中，陈氏愤恨国民党当局酝酿发动内战及听任美货进口、窒息民族工业的所作所为。1946年6月工程师节，他在天津工程学会上散发自己的著作《引玉集》，呼吁当局停止内战，组织廉洁政府，让工业家发展生产，让工人有工做，体现了他的忧国忧民，不计自身安危的爱国者本色。解放初，他全力扩大生产规模，以支持经济恢复及抗美援朝战争对油漆的需要。1952年底，更提出公私合营申请，经政府于1953年1月批准，成为全国第一个申请

并被批准合营的涂料厂。

他高度重视科研、技术开发及智力开发工作。他是黄海化学工业研究社创办人之一，并将创办碱厂所得全部酬金捐献作为该社基金。在漆厂则以工厂盈余的二成充作科研经费，购置图书、仪器，充实科研人员，因而能不断推出新型产品。他晚年行履不便，仍在家中设置试验室，从事有机硅研制工作并制成五炭藻醇(季戊四醇)。延揽和培育人才，更为陈氏的又一远见卓识。他为永利碱厂引荐侯德榜、刘树杞、吴承洛，为永明漆厂延揽王绍先、梁兆熊、李祖培等人，都成为各厂的中坚骨干，为推动科研、发展生产作出重大贡献。此外，他还先后组织制碱工业进修班、硫酸铵厂技工进修班，永明漆厂青年技术讨论会、学徒进修班等。

他强调科学管理及向管理要效益的原则。1923 年，他建议碱厂废除封建性的工头制，安排一些具有专业知识的技术人员取代工头。1925 年，又建议废除十二至十四小时工作制，实行八小时工作制。这两项改革在当时的华北乃至全国都是开风气之先的。为了调动职工的生产积极性，陈氏主张资本家不要剥削工人过甚，要让工人得以糊口养家。同时增添劳动保护装置，增加福利待遇和生活待遇，如安排家属住房或给予房贴、膳贴、煤贴及休假一月以内不扣工资等。对劳绩优异的职工破格提拔，以奖掖其进取热情。

孙冰如义助卢慎之

刘续亨

天津著名藏书家卢木斋胞弟卢慎之，系清末留日学生，与革命领袖之一黄兴有同窗之谊。辛亥革命成功后，卢慎之曾一度出任国务院秘书长。以后，宦海浮沉，长期在黑龙江及奉天等地任幕僚。五十岁以后即息影故都，从事著述，并收购大批史学专著庋藏。因内战迭起，遂移居天津旧英租界建屋定居。

太平洋战争爆发以后，卢慎之身患重病，须在天津德美医院住院治疗。其时，卢氏生活拮据，拟变卖存书治病。当时在天津避难的燕京大学讲师侯仁之与寿丰面粉公司经理孙冰如交谊甚笃，深知孙冰如为人慷慨热情正直，遂将卢老贫疾交加的处境告之，并婉转征询是否可以收购卢老存书，以助其治病就医。孙与卢老素昧平生，得知详情后慷慨应允，表示按卢老治病所需，提供伪联币二万元，请侯仁之转交卢家，并郑重表示书亦不要，还是留在卢老身边，从事著述之用。而卢老在接受孙冰如资助后，非把存书列单交出不可。最后不得已，决定将这批珍贵的史学专著存放在侯仁之亲戚家中，由侯的学生共产党地下工作者王金鼎和邵淑慧夫妇用地排车拉了四五车，送到侯的亲戚的住处(在今大沽路)。1945 年日寇投降，侯回燕大任教，才将这批存书送到寿丰面粉公司保存，还是由王、邵二人用地排车送去的。

孙冰如深知这批名贵的史学专著是国家瑰宝，为弘扬我国文化，不应私藏。在解放以后全部捐献北京大学，亦即孙的母校。北大图书馆另辟专室陈列。孙冰如助人济困，亮节嘉风，令人钦佩。

永利拒绝英商威胁利诱

刘续亨

1924 年永利碱厂试制纯碱成功，1925 年开始投产试销，引起垄断我国洋碱市场多年的英商卜内门洋碱公司的注意和惊慌。1925 年春，卜内门总公司首脑尼可逊来华视察，玩弄惯用的威胁利诱手段，提出与永利合作的条件，妄图以入股和提供技术的方式，取得半数股权，卜内门可以享受中国股东同等之分红利益等。当时开会地点在大连。范旭东、侯德榜等人深知帝国主义侵略的意图，拒不接受对方的阴谋利诱。嗣以上海“五卅”惨案发生，此议遂止。

卜内门利诱欺骗的伎俩无效，恼羞成怒，趁永利“红三角”在国内外市场尚未立定脚跟，即在我国内大量削价倾销洋碱，造成市场上洋碱

售价狂跌，最低时跌价百分之四十，妄图迫使永利生产纯碱赔本，无法继续维持生产而屈服于卜内门提出的合作条件。但范旭东、侯德榜坚持独立自主，自力更生。为支持永利抗拒卜内门倾销，维护民族工业发展，金城银行周作民全力支持，订立六十万元巨额贷款合同，使永利得以正常生产，提高质量，产量大增，1926年日产量平均达三十六吨。虽然卜内门竞销仍未停止，但由于永利纯碱质量优良，经营积极，国内各地市场争相购用国产“红三角”纯碱，产品供不应求，永利碱厂方得立定脚跟，年终结算，初见盈利，发给股东第一次股息。从此，中国人吃洋碱的日子一去不复返了。

一桩改头换面的把戏

刘续亨

通成公司是金城银行独资经营的附属事业，以经营煤炭、棉花、纱布、杂粮、运输为主要业务。通成营运资金几乎全部由金城银行提供。抗战时期，货币贬值，物价乱涨，有利可图。通成趁机扩大经营煤、粮、棉、纱布，并通过海防向后方推销纱布，获有巨利。金城银行向通成公司提供贷款，1943年最高额达2932万余元，占金城银行放款总额12.87%，那年通成盈利620万元。金融资本与投机贸易混为一体,这是资本主义经营的诀窍之一。

抗战胜利以后,按照当时国民党政府财政部颁布的法令规定,在沦陷区各商业行庄,都须经各地区财政金融特派员查明在沦陷时期有无和敌伪政府勾结行事,方准继续营业,换发新照。财政金融特派员查明:在沦陷期间,上海金城银行曾利用附属事业通成公司进行投机、囤积物质,从中谋利,违反银行法规,上报了财政部。经过周作民多方疏通,财政部批示,应将通成公司解散,吊销执照,以示惩儆。这实际是保全金城银行,而将上海金城银行的问题全部推在通成公司头上。金城银行负责人表面上遵照部令,解散通成,而实际上是改头换面,将原班人马一分为四,继续营业。它们是:通益花纱号(经理人为郭企青);成兴杂粮号(经理人为朱纯伯);乾森丝业公司(经理人为吴申伯);华通煤铁公司(经理人为余骏声)。天津方面将通成改为益成,另派天津金城银行副经理续子宪为经理,改为经营一般贸易。同时在美国纽约还设有通成公司,注册资本为十万美元,经理为何廉,后改称大地公司,1949年才正式结束。

五千万法币储备金罹难记

刘续亨

1935年11月4日国民政府实行法币政策，规定以中央银行、中国银行和交通银行(后又增加中国农民银行)发行的钞票为法币，禁止银元在市面流通，并限令各金融机构和民间储藏的银元、白银交由中央银行收兑，同时在全国金融中心城市设立发行准备管理委员会，负责保管各地区上交的银元与白银。在天津成立的平津发行准备管委会，由周作民任主委，卞白眉、徐柏园等任常委。当时贮存在天津中国银行、交通银行及新华保管库天津银钱业公库的银元有五千二百余万元。由于当时华北局势岌岌可危，国民政府曾准备将之南运。

中国实行法币政策，使日本分割中国华北的计划受到挫折。据《日本军国主义侵华资料长编》载称："1935年11月4日国民政府断然实行币制改革，使关东军及中国驻屯军受到极大冲击，当即决定加速华北自治工作。中国驻屯军为阻止币制改革，首先策动华北将领使之禁止白银从华北南运。土肥原少将于12日至北平，以新任北平市长秦德纯等为对象，开始积极工作。"随后，冀察政务委员会委员长宋哲元果然借口运走现洋影响人心安定，反对南运。

“七七”事变后，天津沦陷，日寇对这批银元垂涎三尺，恨不得立刻据为己有，但贮存这批银元的中交两行及新华保管库天津银钱业公库都在法租界，无法下手。1939 年第二次世界大战爆发，英法租界被日军封锁，不久法国战败，天津法租界安全可虑。国民政府通过外交关系，将这批银元陆续移至英租界原华俄道胜银行地库，由英警保护。北京方面还有 500 余万元存在东交民巷东方汇理库内。

1939 年秋，天津大水，英法租界被淹，日寇多次派人到中交两行威逼查看银元，均遭拒绝，但日寇并不罢休。后来重庆国民政府通过外交关系，由天津英国总领事馆出面调解，由英方派人陪同日寇查看所存银元，证明实物确实存在库内，并经英方调解，国民政府允许提出二百万元，由英商外运出售，换成外汇购买澳洲面粉，运津救济水灾难民，以缓和日寇凶焰。

1941 年太平洋战争爆发，日寇占领天津英法租界，这批银元被伪联合准备银行接管，日寇侵吞这批银元的野心，始得以间接得逞。但后来由于世界银价不断下跌，日寇在战场上节节失利，无暇顾及如何处理，这批银元一直封存未动。1945 年日寇投降后，物归原主，中央银行将这批银元接收，并于 1946 年运往上海。

初闻日本乞降

陈嘉祥

从抗战胜利到今天，快半个世纪了。年岁大的人，对当年“八一五”欢庆抗战胜利的情景，大都记忆犹新。但对于8月10日欢庆日本乞降的情景，知道的人并不太多。一是当时进行庆祝的地区不广，二是它被“八一五”的胜利光辉所遮蔽。

1945年8月，我在重庆国际宣传处资料室工作。资料室隔壁是交通部设在国际宣传处的国际电台。10日下午快六点的时候，电台突然收到美国合众社发出的一则电讯，说日本无条件接受波茨坦公告。他们正要把打好的英文电稿送交中央通讯社，这时我恰好经过电台门口，他们把我叫住，说："日本接受波茨坦公告了！"我急忙把电稿接过来，看到这个全国人民、也是全世界人民日夜企盼的重大新闻，心中万分激动，随即说："请你们再打一份好吗？我先把这个电稿送给曾处长看一看。"得到他们同意后，我立刻拿着电稿飞奔上楼，到处长室，我推门而进，曾虚白处长正和中宣部董显光副部长在屋内闲谈。我没等他们发问，便举着电稿说："报告你们一个好消息，日本乞降啦！这是刚收到的电讯。"他们接过电稿一看，脸上立刻泛起兴奋的红光，连说："太好了！太好了！"我没和他们多谈，便又拿着电稿一溜烟地跑到国际宣传处办公楼前的露天电影放映场。10日是星期五，每值星期五下午六时半是国际宣传处为职工放映电影的时间，当时也就六点十分左右，放映场上已经聚集了四五十人。我一面用手摇晃着电稿，一面将日本乞降的消息转告给大家。我的话音刚落，场上立刻沸腾起来，有人鼓掌，有人高呼，有人围起我来争看电稿，大多数人则纷纷离场回家，把这个振奋人心的消息带给他们的亲人。

随后，我回到家中草草吃过晚饭，便偕妻抱女走上街头。这时也就是七点多钟，但日本乞降的消息已传遍整个山城，到处是欢乐的人群，到处响着报喜的鞭炮，上清寺、国府路一带更是人山人海。大家喊呀、唱呀、跳呀，真是高兴得发了狂。人群好似潮水一般，从路的这头涌向路的那

头，再从路的那头涌回路的这头。无数乘坐吉普车的美军，也参加到欢乐的行列里，到处乱喊“顶好”。欢乐的人群构成了欢乐的海洋，不仅人在欢笑，甚至整个山城的一草一木好像也在欢笑。沉浸在欢乐与幸福海洋里的人群，一直持续到深夜才逐渐散去。

周作人被刺真象

陈嘉祥

1939年华北沦陷时期，文化汉奸周作人被刺一事，初因日伪未能侦破，胜利后复因参与刺周之人员或死或散，致使真象未能大白。1946年7月南京高等法院开庭公审周作人时，彼竟诡称其被刺乃日人所为，迫彼不得不充当汉奸以保生命。谬种流传，延续至今。1983年4月号《人物》杂志刊有《周作人的一生》一文，竟仍信其说，曲为辩解，称周是“在日人威胁下屈节的”。笔者有大学同学三人，曾亲自参与刺周之壮举，因得悉其详。

“七七”事变后，津市部分中学生以国家兴亡匹夫有责，出于爱国热忱，加入“抗日锄奸团”(简称“抗团”)，积极从事锄奸活动。伪天津商会会长王竹林及伪天津联合准备银行经理程锡庚等人，先后被刺，饮弹而亡。一时使背国投敌之民族败类大为惊恐。1938年秋，“抗团”小组成员宋显勇、范旭、方圻、黎大展等人，分别由天津汇文、新学、南开、耀华等中学考入北平燕京大学。在校课业虽甚繁忙，但彼等未弃锄奸之志。

1938年冬，周作人惑于日寇侵略之一时得逞，竟丧志夺节，决意附逆。“抗团”以周乃著名文人，素享盛誉，影响所及，危害极大，决定将周锄掉。并因前此时期周作人曾在燕大任教，遂命宋显勇等识认周之面貌，侦探周之行踪，察勘周之家宅。12月底，“抗团”派李如鹏(南开学生)与赵尔仁(新学学生)两人去平执行使命。1939年元旦，李、赵二人在方圻协助下，从北平西城郑统万家(“抗团”成员，新学学生)取出匿藏之手枪二支，随即由范旭带路径去西城八道湾周作人住所，假称是天津中日中学学生，欲见周研商赴日留学事。李、范二人被周之佣人引入，赵尔仁留在门外巡风。时周正在内院客厅会客，见李、范二人进入，欠身示意，范指周对李曰：“此即周先生。”李即出枪面周而射，周应声倒地。猝起不意，在座客人惊骇无状。范、李二人见大功告成，急遽退出。范前李后，行至前院，范发现李未跟上，遂折回探视，瞥见李在后院出口处被周之两个仆人按倒在地，正在挣扎。范急奔向大门，高呼：“九哥快来！”(暗号)赵尔仁闻声即拔枪飞奔而进，对准周之仆人连放两枪，彼等始行松手。李一跃而起，三人前后呼应，夺门而出。李赵二人将枪支送回原匿藏处，即乘车返津，范则径回燕大。数日之后，报纸披露出周作人遇刺仅受轻

伤之消息。

半年以后，李如鹏在津因另案遭日寇逮捕，与天津“抗团”负责人曾彻同时遇难。燕大“抗团”成员闻讯后，多离校赴沪转读于其他大学，与天津“抗团”之联系亦告中断。

原燕大参加“抗团”之成员，今均健在，或侨居美国，或留京、津。其中方圻，现任北京协和医院名誉院长，曾被周总理誉为模范共产党员。

张作相坚决不当汉奸

张开达

1933年，伪满洲国国务总理张景惠派他的财务次长洪维国和日本人风旗顾问来津，请张作相“在不久的将来”主持华北工作，张严词拒绝。

日伪来津促张出山，引起南京方面的疑虑，于是派蒋伯诚来津见张摸底。张表示决不当汉奸，请南京方面放心，并表示：“我张某虽然是个粗人，但当汉奸遗臭万年的事我不干。”

不久，洪维国同伪满实业厅长孙抚宸来津，继续游说张作相同日本合作反蒋，饵以华北全局重任，一切由张主持，“日方不过问”，张以年老多病不能胜任为由，仍然拒绝。

洪维国几次碰壁，没法向其日本主子交差，于是施出一条毒计：以张作相的名义牵头，率部分东北军将领通电倒蒋，历数蒋执政以来祸国殃民的罪状到处散发，以此离间之计逼张就范。蒋见此通电大怒，命何应钦设法将张处死。何应钦为了弄清事情的真相，命河北省主席于学忠密查此事。于派民政局长魏鉴见张，拐弯抹角地摸底，最后查清是洪维国搞的阴谋诡计。何应钦上报南京释疑，张作相险遭一场杀身之祸。

“七七”事变后，伪华北政务委员会委员长王揖唐，受命于冈村宁次，组织京津一些在野名流去北平赴宴、看戏、参观，借以联络感情，相机拉人下水。伪天津市长温世珍曾亲自登门拜访，请张去平赴会，被张婉拒。

张作相每天早晨起得很早，首先在庭院侍弄花草，浇水、施肥、锄草。一次，见窗前花池内有一炸弹，上面贴着一张纸条：“再不出山，小心你的脑袋。”此事闹得全家非常紧张，家人劝他不能得罪这帮权贵，应适当敷衍一下，以免加害。张厉声说：“让他们的宪兵队来抓人吧！我就是不当汉奸，我的臭皮囊早已置之度外了。”

冯玉祥激发官兵抗日

刘炎臣

1931年，日本侵略者在我国东北沈阳制造了“九一八”事变。当时蛰居泰山的冯玉祥将军，对此极为愤慨，反对不抵抗主义。1932年10月间，冯玉祥移驻张家口，号召旧部，并团结其他各方面志同道合的力量，于转年5月26日，宣告成立察哈尔民众抗日同盟军。他发出誓言：“我决心为国家民族的生存，与日本帝国主义拼命。我有三千人拼三千人，有二千人拼二千人，有八百人拼八百人，有八个人拼八个人，有三个人拼三个人，剩我一个人我也要继续拼！日本帝国主义果真炸死我，那倒成全了我，把我打伤了，治好了再来拼！”这些豪言壮语，颇收激励士兵之效。

此外，冯玉祥为激发官兵们抗日救国思想，对所属官兵，每晨举行一次朝会问答。还编有《早起歌》、《吃饭歌》和《就寝歌》，让官兵们按时歌唱，其词句全都含有抗战和收复失地的意思。

朝会问答，常是由冯玉祥带头提问，官兵们齐声回答。问：“日本人占了我们的辽宁省，你们忘了没有？”答：“我们没有忘！”问：“日本人占了我们的吉林省，你们忘了没有？”答：“我们没有忘！”问：“日本人占了我们的黑龙江省，你们忘了没有？”答；“我们没有忘！”问：“你们知道日本人口有多少？”答：“有七千万。”问：“你们知道我们中国人口有多少？”答：“有四万万七千万。”问：“中国人多地广，为什么被日本宰割不一致起来抗战？”答：“因为许多人只知保存自己的势力不爱护国家。”问：“我们现在应当怎么办？”答：“我们要恢复失地，为民族争光！”问：“怎么办才能恢复失地，为民族争光？”答：“一不爱钱，二不怕死！”问：“你们要救国救民，应下怎样的决心？”答：“决心对日本抗战到底！”问：“还有一句最重要的话你们说是什么？”答：“就是实践。若不实践，再明白的多也没有用。”

《早起歌》：“快起快起，快起快起，好兄弟，好兄弟。不把日本打倒，不把失地恢复，不休息，不休息！”

《吃饭歌》：“这些饮食，人民供给，我们应该为民努力。东北沦亡，军人之耻，收复失地，我们天职。”

《就寝歌》：“国土未复心不甘，要雪耻勤练操，努力一日天已晚，明日再干！”

这些气壮山河的问答和嘹亮的歌声，当时经常在冯玉祥将军的军队驻地传出，它激发着抗战军民的士气。

宋哲元夫人常淑清

李腾汉

宋哲元将军的夫人常淑清，一向在生活上对丈夫体贴入微，结婚多年夫妻感情一直很好，但她从不过问宋将军的公事，无论何人想走她的门路办事，她都一概婉言谢绝，连她的娘家弟、妹也不例外。

1933 年春，当时任第二十九军军长的宋哲元,奉命将去长城前线抗击入侵日寇。临行前,常淑清特地煎了几个很嫩的荷包蛋请宋哲元吃,宋哲元从来不吃半生的荷包蛋,见状有些为难。常淑清即指着荷包蛋问:“请看盘子里的东西像什么?”宋哲元凝视片刻,哈哈大笑说:“挺像日本旗, 原来你是想让我把鬼子吃掉呀,我吃,我吃。”于是一口气吞食净尽。宋哲元凯旋归来后, 常淑清让厨房准备了一些酒菜欢迎宋哲元。其中一个菜, 仍是她亲手煎制的鲜嫩荷包蛋。宋哲元奇怪地问:“仗打完了,怎么还让我吃这些半生不熟的东西啊! ”常淑清说:“日本鬼子吃了亏,绝不会死心,这些荷包蛋是提醒你多加注意的。”宋哲元连连点头。

抗战爆发后,宋哲元任第一集团军总司令,旋兼第一战区副司令长官, 因在华北各地与入侵日军苦战经年,积劳成疾,于 1938 年 11 月辞去军职到大后方养病。常淑清冒着生命危险逃出沦陷区,自天津经上海到香港,又转道越南去广西阳朔亲自护理。次年常淑清随宋哲元移居四川灌县一年多,因气候潮湿,宋哲元拟易地西安疗养,途经二十五年前宋、常联姻的四川绵阳时病重不起。宋常因思念远在津寓的老母而伤感,后于 1940 年 4 月 5 日逝世,享年五十六岁,遗有六女一子。当时常淑清悲痛欲绝,亲书挽联致哀:

华北抗敌, 华北折冲, 常念衰迈老母亲,刻刻感怀肺腑;

绵阳结婚，绵阳死别，撇下这些小儿女，寸寸哭断肝肠。

佟麟阁夫人彭静智

李腾汉

佟麟阁将军的夫人彭静智，积极支持丈夫在军中工作。1936年佟将军升任第二十九军副军长兼大学生训练主任，驻南苑。他虽家居北平，近在咫尺，却因军务繁忙很少回家。彭静智就独自担起侍候公婆，抚养二子四女的重担。1937年7月初，佟父身患重病，佟麟阁闻讯传话给彭静智："日寇步步进逼，军情瞬息万变，正是麟阁为国尽忠之时，不能擅自离军，只好请夫人代尽人子之劳了。"

卢沟桥事变后的7月27日，日寇空陆大军围袭南苑，我军伤亡惨重，集中受训的大学生也死伤五百多人。佟麟阁临危不惧，沉着指挥部队奋起抗击，战斗到28日晨，佟麟阁率部突围，这时大批敌机飞来狂轰滥炸，强大炮火猛烈攻击，佟麟阁身负重伤多处，当天光荣殉国，享年四十五岁。

噩耗传来，彭静智心如刀割，但她"忍泣吞声"，严密封锁这一不幸消息，强打精神服侍公公的病。日军侵占北平后，为防敌人寻衅，她举家迁居陋巷，并哄骗年迈的公婆，说其子业已随

军南下。又见二老思子心切，她就不断编造一些佟麟阁的“平安”家信，念给他们听，让公婆放心。直到抗战胜利，佟将军的父母才知道其子为国捐躯已八年有余!

青年从军时的吉鸿昌

付二虞 遗作　曹明贤 整理

吉鸿昌字世五，河南省扶沟县人。父筠亭，因家道贫寒，在镇上开设小茶馆为生。鸿昌天天佐父操作。稍长，在周口镇一首饰店当童工，日服杂役，很辛苦。严冬手肤裂，犹须浸入水中刷洗银饰，鸿昌愤然曰："干哪行也比干这行有出息!"一怒跑回家中。继入一杂货店学徒，仍不听驱使，屡犯铺规，时遭经理呵斥。迨至1913年他十八岁时，冯玉祥在豫招兵，鸿昌赴郾城应募。从此，开始了戎马生活。

鸿昌入伍之后，冯玉祥见他身材魁梧，将其编入模范连充学兵。1915年，有一次，冯集合部队讲话，题目是日本要求中国承认“二十一条”。冯在讲话时说："‘二十一条’是灭亡中国的条件，如果实行了，你们在街上碰见日本人，他就让你趴在地上，骑在你身上当板凳，你们怎么办呢?"吉鸿昌立即举手高喊："我有办法。日本人要骑在我身上，我就回过头来咬死他!"一时博得全场官兵哗然大笑。

吉鸿昌在历次作战中，素以勇敢著称，军中呼之为“吉大胆”。因屡立战功，不时升擢。十九岁作营长，三十五岁作军长，实为中国罕见的军事人才。但是，后来竟以主张抗日被杀。结果是杀人者遗臭万年，被杀者流芳千古！

歌唱亿万赤子心

曹火星

歌以言志，以抒怀，客观上还有教化作用。《没有共产党就没有新中国》这首歌，在华夏大地传唱近半个世纪而不衰，正如周扬同志所言"这支歌说出了全国人民的心里话"。

1924年，我出生在河北省平山县滹沱河畔，一个叫西岗南村的农民家里。在那多灾多难的岁月里，外有列强虎视眈眈，内有军阀当道，连年混战，我的童年就是在动荡中度过的。1937年，我考取保定中学不久，卢沟桥的炮声掀起了全民抗战的热潮。不久，共产党领导的八路军来到我的家乡。他们发动人民,组织抗日武装,坚持敌后游击战,成立了工救会、农救会、妇救会,组织生产自救,实行减租减息,改善了人民生活。活生生的事实,使我认识到只有共产党才能救中国,我从此走上了革命道路。1943 年,我的父亲和堂弟相继被敌人杀害,不共戴天的国仇家恨,更加坚定了我投身革命的信念,使我在血与火的洗礼中,成长为一名共产主义战士。

1943 年初,我所在的边区群众剧社的同志都在华北联大文艺部学习。学习中得知蒋介石在《中国之命运》一书中,大言不惭地提出“没有国民党就没有中国”,使我们这些热血青年极为愤慨,我决心谱写一首真正反映民意的歌。当年10 月,《没有共产党就没有中国》写出后,因为曲调上口易记,歌词通俗易懂,表达了人们的心声,很快在晋察冀边区流传开。后来随着革命的进展传唱在陕北、东北等广大地区。

1948 年底,天津解放前夕,我们集中在胜芳待命。接到中宣部通知,考虑到新区人民的觉悟程度,进城后暂不要唱这首歌。后来听说原因是歌中“没有共产党就没有中国”一句话有语病。对此,大家都很惋惜。后来,有的同志提出:如果把“中国”改成“新中国”不就讲得通了吗?我觉得这个建议很好,更能准确地表达词意。从此,《没有共产党就没有新中国》的歌声,随着百万雄师过大江的进军号角,响彻长城内外,大江南北。

在宋庆龄身边的日日夜夜

罗慕班

1935年底，我应当时国民党中央组织部长张历生之约去了南京。后在沪，承广东女界联合会负责人伍智梅引见，首次得识宋庆龄先生。

“八一三”事变后，上海沦陷，宋先生由沪撤到广东，其时宋先生的秘书廖梦醒在香港为先生处理涉外工作。宋先生抵广州后，以公私事务繁冗，便和伍智梅商议要我专任她的秘书。当伍智梅征询我的意见时，我自知学力浅薄，不敢受命。宋先生亲自和我谈话，鼓励我说：“我一再考虑过，认为你适当，如遇有疑难的问题，可随时问我或请教伍先生。”情意拳拳，难再推却，只好从命。

为避免市区的喧嚣和干扰，宋先生选择广州近郊河南岭南大学校园里一幢小楼为寓所，环境幽静，我也随往同住，一日三餐同宋先生两人共进。宋先生生活很有规律，每天早餐后约半小时，即到卧室旁办公室，浏览中英文报纸，然后批阅文件和函电。午餐后休息约一小时，然后看书或阅批文件和函电，会客多在下午。

好看书是宋先生的习惯，特别爱看中外历史书籍。她的卧室和办公室都有书橱，书橱里多属这类书。她的历史知识非常渊博，堪称广闻博识，闲谈时常以历史故事予人以启迪。

宋先生的国际朋友很多，每天从外国寄来的信件，都由她自己用打字机打出复函，签署后交我发出。

“七七”一周年临近的时候，宋先生决定以她的名义向广东各界妇女发出号召，要求节衣缩食，踊跃献金，为抗战作出贡献。宋先生在广东人民中具有崇高威望。“七七”这天，广州全市各重要地点，都搭起妇女献金台，计十余处。全市劳动妇女、职业妇女、家庭妇女，纷纷登台献金，场面热火朝天，甚为感人。宋先生偕我亲临各献金台，每到一处，宋先生总要向献金的妇女群众挥手致意。妇女群众欢呼雀跃，场面热烈，至今历历在目。

就在这时，邓颖超来到广州。宋先生一向推重邓先生，因此她决定以她的名义举行盛大欢迎会，叫我作好准备。过去和邓先生在天津共同发起觉悟社的李峙山(毅韬)适在广州，也被邀请到会。开会时，首由宋先生致欢迎词，她说，邓先生来广州是旧地重临，前次来是为了革命，这次来是为了抗战。把革命和抗战的关系作了阐发。邓先生致答词，首先对宋先生和到会各位为她举行如此盛大的欢迎会表示谢意，对宋先生给她的赞许，表示谦逊。然后就当时抗战形势作了分析，指出抗战必胜的前景。希望到会的人树立起抗战必胜的信心，踊跃参加抗战，争取最后胜利。到会的人莫不兴高采烈，报以经久不息的掌

声。

这一段时间，宋先生对我谆谆教导，循循善诱，关怀提携，无微不至。先生的伟大人格和高尚品德使我感受很深。她不愧是中国人民的一代楷模。

我与鲁迅的一段交往

赵令声

1923年到1927年，我考得河北省公费，在香港大学工科读书，正值国民党和共产党第一次合作时期。孙中山实行联俄、联共、扶助农工三大政策，以广州为革命根据地，策划北伐。1926年，北伐军从广东出发，进入湖南。捷报传来，我精神振奋，感到中国的军阀割据局面将告结束，全国统一后，复兴有望，富强可期。激于爱国热情，我振笔撰文，鼓吹革命，支持北伐，欢呼战争胜利。当时香港有三家中文报纸，即《循环日报》、《华侨日报》和《大光报》。《循环日报》比较保守，《大光报》最进步。我把文章寄给《大光报》，被登载出来。在连续发表几篇文章之后，《大光报》总编辑陈卓章到香港大学学生宿舍访我。我们一见如故，谈得非常投机。他刚从岭南大学毕业，血气方刚，热情奔放，热爱祖国，思想进步。《大光报》是基督教会办的报纸，董事会负

责人是张牧师。他赞成北伐,希望祖国统一。陈卓章领我拜访了张牧师,交换了对时局的看法,意见一致。大光报社决定聘我作社外编辑,每周写三篇社论,每月酬金四十元,我欣然接受。香港大罢工之后,英帝国主义统治者加强了防范,香港政治空气沉闷,我想打破这种沉闷的局面。鲁迅先生这时在广州中山大学任教。我认识一位在广州工作的河北省同乡叶少泉,和鲁迅先生相识,我想以大光报社的名义请鲁迅先生到香港作一次学术报告,托叶少泉和先生商量,先生欣然同意。1927年春,先生由叶少泉陪同,从广州乘船到香港,许广平陪行,我到码头迎接,在香港下榻基督教青年会公寓。我在青年会食堂请先生、许广平、叶少泉吃一次中餐。先生兴致很好,喝了几杯黄酒。先生生活朴素,穿着一件布大褂、布鞋。许广平穿的也是布大褂。请鲁迅先生到香港作报告,来回旅费、吃住费都由我个人负担,没有给先生任何报酬。我刚从大学毕业,阅世不深,也无力隆重招待,先生对这样简单的接待方式并不计较,安之若素,表现了高度的修养。香港从来没有请过像鲁迅先生这样的伟大文学家作报告,所以先生在基督教青年会礼堂讲演时座无虚席,不少人在门外站着听。《大光报》和《华侨日报》全文登载了先生的报告,在香港社会产生了广泛的影响,政治空气为之一新。鲁迅先生这次的讲演,就是后来收录在《鲁迅全集》中的一篇重要文章:《老调子不要再弹了》。

畿辅梦影

王学仲

四十多年前的北京宣武门外，拐过达智桥邮局，有一条下斜街，沿街走下去，便会看到土地庙对过有一座门楼，上悬一方剥落掉许多髹漆的黑色大匾，这就是张之洞题写的“畿辅先哲祠”。门旁边还有姚茫父题的一块竖牌，上书“京华美术学院”。据说这里还有“四眼井”的遗址，但究竟井在哪里，我始终没有找到。

这里边，供有畿辅先哲们的神牌。再往里走，松荫夹径，中间有一个高轩。后面是遥集楼，沿两边梯廊可登临上层。这就是1942年我读书的地方。当时北京还没有什么高楼大厦，在这里可以鸟瞰到老大的一片城池、人家，还有土地庙里厝置的棺柩。如果说乌鸦和猫头鹰是来报丧的，有时喜鹊也停在土地庙外的老枯槐上叫两声。在这一带，我感到鸟和人一般多，甚至鸟比人还多些。有趣的是，不但土地庙里的棺材多，就在我住的一间宿舍内，也停有一方没有髹漆过的寿材。那时在陶然亭一带，也会看到没有后代添土的枯棺。胆大的同学竟把这些呼不出姓名的头盖骨掏出好几个，用滚水消消毒，当作艺术写生的标本。

我学的是中国画，我想我学的与骨骼解剖似乎无关。没想到我在东莞会馆里容庚老师家中的柜橱内,也看到放了不少骨头片子,在这里我初次和甲骨结识。容老师很愿意教我的原因,是大部分同学感到他的课太枯燥，我却:“人爱热闹,我爱枯燥。”我按容老师的要求,抽空就抄写《说文解字》,这当然是很乏味的,我边抄边记边理解,打了点文字方面的基础。

黄宾虹先生住得也不远,我常步行去他家。进了宣武门,转入石驸马大街的一个小胡同,你一推他的门,便有白鹅报警,哦哦地叫得黄先生慢步出来，黄先生把鹅轰到一边。他的杂乱古籍,加上没有散发尽宿墨水分的画儿堆,也弄不清到底是书香人家,还是墨臭人家了。黄先生砚池总是舍不得倒，再加上摞起来的没有晾干的画,透露出主人的身份和雅兴。从这书与画的长廊中走到头,才是黄先生著书作画的案子,他局促在万纸丛中,像是飘浮在墨海中的一只鹅。

只有我的国画先生吴镜汀住得远些，他住在石碑胡同里的花枝胡同。我向吴先生学的是山水画。他家的门向东,厅上养着一只并不能言的鹦鹉,正墙挂了几张黄山烟云的照片,在当时是很罕见的布置了。这地方离天安门不远,但离我的学校算是最远的一家了。

三位先生已经作古，只有畿辅先哲祠的那块老匾,破碎的甲骨片,白鹅和鹦鹉,时时在我的眼前游动。是他们的灵魂吗?还是我自身的梦影?不知为什么,一直紧贴在我的心头闪动。

回忆陈独秀先生

夏明远

抗日战争期间，我与陈独秀先生一度有过交往。当时，我在四川江津县德盛坝的国立九中任教，独秀先生寓居于江津城内邓仲纯医师所开的“延年医院”后院。邓仲纯医师，怀宁人，早年留学日本，为名书法家邓石如之孙。抗日战争时期，住在江津的安庆和怀宁人很多，邓、我与独秀先生都是安徽怀宁人，因此，我在延年医院认识了独秀先生。从谈话中了解到他认识我的父亲和我的祖父，尤其我的祖父夏筠竹楼公能诗能文，他颇为了解，并十分敬重。由于我们有这样的关系，我在四川江津期间，星期天差不多经常去他的住处，并经常在他家吃饭。

独秀先生在江津期间，先是住在延年医院的后院，以后迁往江津西门内的邓宅，最后迁居江津郊外四十里的鹤山坪。他住在延年医院后院和邓宅时，我常常去看望他。在他家，我曾见到过不少安徽的知名人士，如柏文蔚、光明甫、高语罕、胡子穆等人。在这期间，我曾陪同独秀先生在江津的西门外江边公园及其附近散过步。在散步聊天中，了解了他的身世、经历、往事和当时他的生活情况。当时，他的身体还很健康，精神十分矍铄，也很健谈，每天都忙于著作和偿求书者的墨债。他曾先后为我书写过中堂、对联十多件。可惜这些墨宝在“文革”中都遗失了。

独秀先生1879年10月9日诞生于安庆北门内之“后营”，1942年5月27日下午九时四十分病死于四川江津郊外四十里之鹤仙坪，终年六十三岁，葬于江津西门外鼎山山麓之康庄。抗日战争胜利后，其子陈松平将其灵柩运回安庆，葬于安庆市郊十里公社之林业大队。1988年，我到安庆举办个人画展时，安庆市文化局副局长张君同志及独秀先生的孙女陈长璞同志曾陪同我到过他的墓地，并摄了影。这张照片可作为我同他交往的纪念，也算是对遗失了他的墨宝的一个补偿吧！

我终于找到了柳亚子先生

于寓真

我从桂林绕道海上，历尽艰险，于1949年5月4日到达北平。经过三天查访，才得知柳亚子先生的准确地址——颐和园益寿堂。这时我已身无分文，只能从王府井步行前往。经门岗严格询问后，才放我进入内院。时已天黑，透过窗户，见先生须发飘然,面架眼镜,身穿灰布大褂在客厅里焦急地踱来踱去。先生见我掀帘进去,不等我开口,即高兴地大声喊:“佩! 佩! (先生对夫人郑佩宜的爱称)小于子来了。”柳夫人笑容可掬地从书房走出来。他们听说我是步行来的,见我满身风尘,十分疲惫,不胜关切。柳夫人指着桌上的饭菜说:“李济深先生中午来过电话, 说你已经往这来了。晚饭时还未见到,我们很不放心,又没法打听,急的先生直转磨磨。你看!饭菜早凉了,先生非要等你来共餐。”我那时还是个小青年,承先生厚爱,实在感愧交加,只好连声道谢。

吃饭时, 先生说:“去年得知你被国民党政府通缉后,我即让琴可(广西大学教授朱荫龙,字琴可,系先生契友,掩护过我的老师)转告你春节前到香港, 可是直到今年 2 月我们乘华中轮北上时还不见到,致使你多吃了好些苦头。”

在我去洗澡时, 柳先生很有感触地为我此行即兴赋诗一首,这首诗后来收入《磨剑室诗词集》。他在诗前写有题记:“广西永福县青年于寓真夜来投,持挚友桂林朱琴可荫龙、琅琦任绮雯珍琰夫妇名刺为介, 盖自平市西长安街行至此也。留宿东庑,赋此志感。”诗曰:

航海梯山愿肯忘,望门投止夜昏黄。惊看风谊朱云刺,更喜穷愁任昉章。复壁柳车原磊落, 长裘广厦待商量。蛮夷大长行传首,早晚红军下桂江。

在“复壁柳车”句后,注有:“君以学运事为军阀特务所忌,索之甚亟,匿琴可、绮雯家半载,琴可亲自护送返永福，复不能容。仍走桂林，由广州而香港，遂抵新都。琴可于贫困中分金以赆，绮雯复脱金约指益之，君不忍脱手，仍留怀抱间，途中几行乞，弗顾也。”

当晚柳先生与我谈到深夜，从此我即在柳先生身边工作和生活，直到我随军南下。这虽然是四十多年前的往事，可是先生肝胆照人的音容笑貌，迄今仍历历如昨。

在柳亚子身边

于寓真

柳亚子先生乐于助人，热情奖掖后进是有口皆碑的。在这方面，我的感受很深。

1949年5月8日，我从桂林绕道海上逃到北平柳亚子先生家的那天晚上，先生与我谈到深夜，才送我去东厢房安歇。五点醒来，不知什么时候桌上多了一沓新书。其中最厚的一册是先生题赠我的蓝色漆皮布面精装老区版的《毛泽东选集》合订本，其余的是现行政策的单行本和政治书籍，书的上面有两页先生勉励我学习革命理论的亲笔信。我看后，不禁浮想联翩，推窗北望，仍见先生的头影在他书室的灯光中闪动。我想先生不是早起，就是通宵未睡，他对青年的关心真是一片挚诚。

早点时,先生用白糖拌小米粥和馒头、咸菜招待我。他吃完后即离座,顷刻,便将身边的工作人员找来与我相识, 接着领我里里外外绕颐和园益寿堂一周,才到他书房落座。书房约十四平方米,窗朝北,窗外古松林立,傲骨迎风。室内一床一案各靠北窗、南墙,几个箱子码在床的东头,南墙上有齐白石一幅画,简朴无华。柳夫人也和我们促膝谈心,和谐随便。先生对广西的政局, 桂林的变迁以及故旧友好的动态都非常关切。从提问中,可见先生对国家大事的关注和友情的眷恋。当问我对李任仁(原广西省参议会议长)的看法时,我说他是“广西反动派中的开明派”。话音未落,先生即连连拍掌对其夫人郑佩宜说:“佩! 佩! 你听小于说的多好! 一针见血,言简意赅。”最后先生又说:“你刚到北平,是不是先留在我身边, 等你确定了奋斗目标后再定去留……”

10日早起,他把一叠钞票塞进我的衣袋,催我进城结清初到北平时住旅馆的欠帐。到旅馆办完手续, 并话别了与我从香港风雨同舟来的单先麟、任培辰(任弼时同志胞妹)夫妇后,即往回赶。傍晚到家,正遇毛主席的秘书田家英同志来访,先生挽留与我共进晚餐。家英同志只长我三岁,谦和幽默,博学多才,一言一语,都使我耳目一新。他要我到处跑跑,多方接触,有什么想法可随时找他。

5月12日, 先生写了九封信交我分别去看望曾在桂林工作过的田汉、徐悲鸿、欧阳予倩、熊佛西、宋云彬等。对于先生那些年事已高或工作繁忙的旧交如董必武、吴玉章、叶剑英等,则驱车领我走访。我到华北大学学习,就是先生直接找吴老推荐的。

平时来拜访先生的客人,几乎每天都有,有时甚至应接不暇,而何香凝、陈叔通、黄炎培、沈钧儒、茅盾、叶圣陶这样的常客,更使我倍感亲切,受益匪浅。

先生参加可带随员的集会时,我常奉陪前往。有一天晚上到北京饭店礼堂听周副主席关于政治协商会议筹备情况的报告,我即列席其间。报告结束后即举行舞会,周副主席也与大家翩翩起舞。休息时,周副主席前来看望柳亚子先生。当得知我从桂林亡命而来的情况后,即亲切与我握手,说:“小于,辛苦了!欢迎你。”文学艺术界有什么集会,我也经常敬陪末座。在先生筹备文献保存委员会发起人名单中,均系当代名流,而先生竟将我的名字列为会务秘书,由此更深切地感受到先生对提携后进之精心。

先生对我可谓恩重如山。然而,为了中国人民的解放,我还是挥泪离开先生,奔赴硝烟弥漫的战场。为此,先生欣然命笔,赋《赠别于寓真小友》一首壮行:“王孙故国伤迟暮,将种浪夸剩怨哀。幸有小于能解事,能传衣钵到燕台。”这首诗已收入先生的《磨剑室诗词集》。

汪培娲谈“五四”学运

游诲方

天津市政协委员、市文史馆馆员汪培娲，字炼天，山东泰安人，生于1904年。1928年获燕京大学学士学位。1932年毕业于北京协和医学院，并获博士学位。为人豪爽旷达，热爱祖国。已届耄耋之年，仍勤于书画，关心国事，积极参与社会活动。日前笔者就“五四”学运事访问了汪老。

“五四”运动时，汪年仅十五岁，肄业直隶女子第一师范(河北女师)，是天津赴京参加运动年龄最小的一名代表。她是邓文淑(颖超)领导的“学生联合会讲演队”及“女界爱国同志会宣传队”队员。许广平时为《河北女师周报》编辑，汪、邓是该刊新闻记者，故汪经常在邓左右。

当时，天津学联副会长马骏，在学生中颇有声望，亦是赴京代表之一。赴京后，他往来奔走，十分积极。当请愿队伍被关闭于天安门大门内时，学生均在走廊下等候接见。忽然军警四面包围，并大呼：“马骏出来！马骏出来！”要逮捕他。汪和吴瑞燕等其他同学，乘混乱之际，将马团团围于中心，数百人水泄不通，使军警无法冲入。午后，汪忽昏迷倒地，待她醒来，发现卧于医院病床，时已华灯初上，邓文淑、刘清杨守候于旁。返津后，她还以自己请愿未全始终，深以为憾。

"五四"运动延续到同年10月10日，天津学生及群众在南开广场开会。当局派军警包围。游行时便发生冲突，军警动武，邓文淑等数人受伤。群情激愤，赴警察局质问："为何庆祝'双十'还打人？"并静坐示威，又被反动军警用水龙头冲散。

1926年3月18日，时汪正在燕大上学。北京人民群众为反对帝国主义要求撤除大沽口国防设备侵犯中国主权的行为，在天安门集合抗议。先游行，后请愿。游行时，燕大本科二年级女同学魏士毅，手执大旗与汪结伴而行。会后，魏不顾正在病中，与同学们齐赴段祺瑞执政府等候接见。不料段竟下令卫兵开枪射击，并用枪托乱砍乱打，致死伤二百余人！魏与汪比肩而坐，魏体力不支，先被踩倒，后遭刺杀。此即史称"三一八惨案"者也。1927年3月，燕京大学学生会特在校园建立"魏士毅女士纪念碑"，以资纪念。

张作霖二三事

温守善 口述　李秀嫣 整理

民国九年(1920)，我初到张府工作时，是给张作霖管理贵重中药材，如人参、鹿茸、厚朴、藏红花等。驻守东北边界的统领韩边外，托鲍毓麟转送一棵九两重的吉林老山参来。人参是七两为参，八两为宝，这棵九两山参实在是太罕见了！鹿茸必须是山野花鹿的才为上好。因张以前吸过鸦片，为自勉，决心戒除，于是我充当了药剂师的助手，帮助配制戒烟药。以后我改作内收发工作，每天把电报、信件、报纸放在张的办公桌上。每有重要函电，他都亲自审阅，然后分送参议厅或秘书厅。如有“火急”、“万急”等字样，必须立即送交他看。遇有战事时，他则夜不安眠，楼上楼下总有他踱来踱去的脚步声。两厅的工作人员也都陪着他紧张地工作。

当时张作霖的职务是：镇威上将军、东三省保安司令、东三省巡阅使。他多在夜间办公，所以起床也多在午后。漱洗完，吃一碗燕菜粥，边吃边看文件，思考处理公事。每天他都要到两厅参加重要事情的研究讨论。他性子急，但非常爽快，遇事说办就办，对部下都很相信。有时他小胡子一撅，大家都畏惧三分，然而却都甘愿为他效劳。他常说：“天下人皆可用。在他做，在我用。”

张的家乡盛产粮谷，在沈阳开有三处粮栈。有称“钟三爷”者，专给他经管土地和粮食。

张作霖生活尚俭，饮食简单。喜食家乡的白粳米饭，佐餐一般就是青菜、豆腐之类。日常总是穿中式旧长袍马褂，吸小旱烟管，外出才换新衣。祭文庙、武庙时就改换祭服。他对传统的三节——春节、端午、中秋很重视，机关、学校都放假。在他过生日时，大家总要给他庆祝一番，办堂会、演戏。那时，四大名旦——梅兰芳、程艳秋、尚小云、荀慧生，他都请过。须生余叔岩、老旦龚云甫也请过。可是他都事先有话：“一律不收寿礼。”有一回张宗昌托我送给他一批古玩，约值十万银元；洮南镇守使张鸣九，也托我转送两颗大钻石，他都坚决不要。还说：“他们的钱都不是好来的，都是民脂民膏，我不要，我的钱是做买卖赚的，我不刮地皮！”郭松龄倒戈时，张作霖把十二箱黄金和一箱银元宝交给我管理，这是他创办的边业银行的基金。后来，我把它原封未动地转送到边业银行。

皇姑屯事件亲历记

温守善 口述　李秀嫣 整理

1928 年，北伐成功。张作霖决定放弃北平，退回关外。

决定张作霖离开北平的时间，是根据总参杨宇霆意见安排的。1928 年 6 月 3 日凌晨二点，张从中南海启行，到前门车站。此一行动时间原属秘密。奉军四十七旅旅长鲍毓麟等亲送至车站。我当时任校尉处长，随张同行，其他随员有鲍贵卿、潘复、莫德惠、刘哲、医官杜泽先等，还有日本顾问荒木。张所乘列车是当年慈禧所乘专车，造型精美，富丽堂皇，内设客室、卧房，车内座椅、窗帘，一律以金黄色丝绒装饰。车厢为

蓝色钢皮,分外醒目。潘复和鲍贵卿与张同坐一节车厢里,前节车内有张的卫队团长于恩贵和荒木等人。到天津站,潘、鲍因家在天津,就都告辞下车了。随行家属寿夫人携行李什物乘试路车先行。至山海关,黑龙江督军吴俊升上车,他是代表东北各界来迎接张作霖的。上车后,对面坐下,我陪座在旁。张作霖精神极好,边行边谈论北平和奉天的情况。将至黑山站,张欲下车探视老家,因知奉天各界已扎起牌坊,正待欢迎,就没下车。

4 日早,车到皇姑屯站,刘尚清、张景惠、齐恩铭、臧士毅等,都早等在那里迎接。家人和其他官员都在新车站等候。张和迎接的人招手致意后,列车仍徐徐前进,齐恩铭等则开汽车随行。6 月的东北早晨,和风宜人,车窗外两旁地里的庄稼,吐着新绿。张、吴二人正在欣然外望,一面还谈着话。忽然一声巨响,火光爆发,烟尘漫滚,砂石铁木纷飞。恰恰是这节车厢被炸碎了!一个小硬木桩直刺入吴俊升颅顶,脑浆流出,摔死于车厢一角。我左臂受伤,耳膜震裂,被埋于碎铁烂木之中。待我挣扎爬起,找到张作霖,见张已被甩出一丈多远,上衣全是血污。我用右手托起张的头部,见他喉咙被穿破一个窟窿,伤口不住流血,急以手帕堵上。张的三子学曾也跑来,见状大惊,和齐恩铭三人将张抱上齐的汽车。张当时还清醒,问道:“凶手逮住了吗?”我安慰说:“逮住了。”又问:“是哪部分的?”我说:“正在审问。”并告诉他:“炸弹不是一般的,是正当这节

车开到老道口三洞桥时炸的。”出事地点是列车刚开出的日本警戒线。后来侦破:南满站往北有一小木房,是南满站储存工具用的。引爆设施就安装在这里。张似乎意识到了什么,说:“打!”这一阴谋连当时的日本顾问荒木事先也不知道,出事时他正往张的车厢走,一只脚已踏在连接板上,也被埋在碎木下,但未伤。后节车也被炸起火,理发的陈师傅被烧死,会计高维周等均受重伤。途中张还睁眼看看,有气无力地说了句:“小日本太可恶!”由于伤势过重,失血太多,神智逐渐模糊,出现呓语。到沈阳大南门里帅府,用担架抬往东花园小楼,这是寿夫人的居处。军医处亦迅速派人来。医生们剪掉衣服,上肢已断。多方抢救,全然无效,不久就死了。奉天宪兵司令齐恩铭深感自己责任重大,痛心疾首,跪倒帅府仪门,嚎啕自责,要求杀他抵罪。寿夫人说:“人已死了,也不能怪你一个人呀!起来去吧。”经帅府幕僚研究,对其死讯封锁极严。慰问的人一律挡驾,只说大帅受轻伤,需要静养。府内生活一如往常。日本领事松井、本庄繁还假借慰问之名,不断窥探。直至张学良化装士兵回到沈阳后,一切安排就绪,才于6月17日正式公布发丧入殓。

忆郭德洁女士

罗慕班

1945年9月，我因体力衰弱，辞去广东省妇女工作委员会总干事的职务，决定北返。在我离广州北上之前，李汉魂、吴菊芳夫妇决定出国，特为我写信给北平李宗仁、郭德洁夫妇，告以我将去北平，请予关照。并着我面告李、郭夫妇，在他们出国之前，必前来北平话别。与此同时，伍智梅也为我去北平写信给李、郭夫妇。

我到达北平后，深居简出，大约经过半年时间，健康逐渐恢复，才去同李、郭见面。畅谈之后，郭德洁忽然提出：李宗仁身边有甘介侯任他的秘书，她的公私事务无人代为处理，硬要我担任她的秘书。李宗仁在旁拍手表示欢迎。我毫无思想准备，一时难以回答，只好说身体刚刚恢复，请允许考虑再说。自此以后，经不住她三番五次催促，再难推却，才应允暂时帮忙。

李、郭夫妇生活简朴，起居间、办公室、会客厅的陈设，只求整洁，无豪华气派。平日就餐只有一荤一素一汤，或一荤两素一汤，每餐不离桂林腐乳。郭曾对我笑着说："在这里吃上桂林腐乳就很不错了。"

郭德洁一向反对浪费。有一次，当她看到行

辕有不少人乘公车办私事，就提醒李宗仁说：“一滴汽油一滴血，怎能这样浪费呢?”又一次，当她看到行辕举行宴会时，动辄就是两坛陈年花雕，就提醒李宗仁说：“仅陈年花雕这一笔花费就太大了，今后不可改变一下吗?”诸如此类，我还记得不少。

1965年7月20日，郭德洁随李宗仁从美国绕道回到祖国怀抱，受到毛主席、周总理等党和国家领导人的热烈欢迎和热情接待。记得他们刚从南方访问归来，我专程去北京见郭，门卫以我没有预约不予传达。我写了一张纸条，要求一试。郭看到纸条，亲自出来招迎。故人重逢，拥抱良久，这一动人场面，使门卫也深受感动。走进会客厅，落座后她首先说，这次回到祖国，共产党以礼相待，生活上的照顾更是无微不至，令人感奋。继而谈到回国后访问几个地方的观感，“河山依旧，面貌一新”，千言万语一句话，相信共产党是有办法使国家好起来的。我问起她在美国和李汉魂、吴菊芳夫妇相过从的情况，她一一作了答复，并称赞李、吴夫妇“教子有方”，说他们的子女在美国都有相当地位。最后告诉我她已患了不治之症，当时使我非常伤感，几乎泪下。那天正赶上朱德总司令邀李、郭夫妇往北戴河，专车已在车站待发，李因事先出门，径去了车站，郭晚走一步，适我来见，而将开车时间推迟了。当郭送我出门时，相约等一切摒挡就绪，或者她来天津看我，或者我去北京看她，重叙珍贵的旧谊。想不到几个月后，她竟因癌症去世。

这次相见竟成永诀,怎不使我悼念!近年程思远、石泓夫妇和我闲谈时,往往都为此深感遗憾。

我与吴菊芳

罗慕班

1938年10月21日,广州沦陷不久,国民党中央明令改组广东省政府及国民党广东省党部。免去吴铁城省政府主席及省党部特派员职务,改由李汉魂接任省政府主席及省党部主任委员。并决定广东省临时省会设在韶关,各省级机关团体从广宁及连县陆续向韶关集中。

当时我担任广东省妇女工作委员会常务委员并代理主持会务,由广州撤至广宁办公。工作部署完毕,就由广宁偷渡日军封锁线,取道澳门到达香港,准备先赴重庆。当时原广东省妇女工作委员会委员兼总干事伍智梅在武汉及重庆出席国民参政会第一次会及第二次会后适留香港。因她仍挂有广东省党部委员名义,需要绕道汕头赴韶关逗留短时间,处理未了事宜,并表示偕我同行。转去重庆。

这时广东省妇女工作委员会已改任李汉魂夫人吴菊芳为主任委员,以陈明淑为委员兼总干事,负责实际工作。伍智梅和我到达韶关不久,伍忽然接到国民参政会通知着即到重庆,她临时留我代为处理未了事宜。在此期间,吴菊芳向我提出要我留下任她的秘书,情意恳切。我在香港时就已接到国民党中央组织部长张厉生着我去重庆任职的信,因此当时我很为难。适当时在韶关与张厉生素有交谊的第四战区秘书长兼四战区政治部主任丘誉从旁劝勉之余,并径电张得到同意,我只好留下。吴为人聪明、睿智,既有能力又有魄力,值得襄助她做些工作。未几,陈明淑因车祸身亡,我就接替了她的工作。

广东省妇女工作委员会,在抗战烽火中和艰苦环境里虽然困难重重,但由于深感吴的知遇,我遂鼓勇拼搏。诸如妇女组训、妇女教育、妇女福利、出版《广东妇女》月刊、设立各县妇女工作委员会等等,都做了大量工作,取得一定成果。其中经常征募大量物品及现款,慰劳前线抗战将士。为坚持这项工作,组织了六个慰劳团,出入火线,进行慰劳。并从事战地服务,为战士写信、洗衣,举行军民联欢会,成立军民合作站,救护伤病官兵,掩埋战场死尸等。吴菊芳是个热爱国家、热心事业的人,具有远见,不辞劳苦,这在国民党"官太太"中所罕见的。她尤其关心战地无家可归、流离失所的妇女和儿童。为此,她到处奔走,请求支援,先后收容妇女近千人和儿童逾万人,分别成立了妇女生产工作团、儿童保育院、儿童教养院。对妇女采取半工半读,对儿童进行正规教育。

此外,为了表达广东妇女的抗战热忱和参加抗战的决心,妇女工作委员会发动全省妇女

集款购买飞机一架，献给国家，并以妇女指导委员会指导长宋美龄之名，命名为“美龄号”。

我和吴菊芳朝夕相处，甘苦与共达七年之久，被视为左右手，积谊深厚，有如家人。

经过数十年的分别，我于 1974 年又与移居美国的吴菊芳取得了联系，并促成她和李汉魂先生于 1982 年 5 月接受廖承志邀请前来大陆访问。

忆峙山

谌小岑 原作　王大川 整理

李峙山，原名毅韬，入学时名献瑞。觉悟社成立后，大家相约以数字号码谐音字通讯，以避免受反动势力的迫害。李毅韬抓的号码是 43，谐音字用“峙山”，以后在各种场合即以峙山为名。

李毅韬出生于河北省盐山县农村，父亲是位私塾先生。她六岁时，在父亲的指导下，读《三字经》、《百家姓》、《四字女经》等书，聪颖过人。十七岁时，全家迁居天津，遂考入直隶第一女子师范学校。在班上，各门功课都名列前茅，惟独音乐、体育成绩不好。因为她曾缠过足，从小又没高声唱过歌，所以这两门功课不及格。但是，由于她其他科目成绩优良，老师就把这两门撩到六十分，在期终毕业时，她的成绩名列第二。

1919年，“五四”运动爆发，女师郭隆真、刘清扬、邓颖超等联合天津其他女校学生组织天津女界爱国同志会，推选刘清扬为会长、李毅韬为副会长。

女界爱国同志会在天津西北城角搭起一座讲演台，这是郭隆真、邓文淑(邓颖超原名)主持的。她们所以选择这个地点，是因为这里是劳动人民和小商、小贩集居的地方，这些劳苦大众身受帝国主义和封建势力的压迫，有强烈的爱国思想感情。在这里讲演的女师同学，个个精神抖擞，大声疾呼，不但宣传抵制日货，而且宣传女子也应该和男子一样受教育。她们都穿着浅蓝(天津叫“靠色”)细布短褂、黑布裙，头上挽着两个圆髻，在当时她们讲的都是新道理，吸引了一千多名各阶层的听众，甚至有许多听众和台上讲演的女同学一样声泪俱下，这种场面不但在天津是第一次，恐怕在全国也是罕见的。

忆张诒孙先生

卞慧新

1931年秋，余从张诒孙先生就学国文。

先生四川蓬安人，1893年生，1920年毕业于北京大学研究所国学门。1922年3月他曾在北京《晨报副镌》发表一篇《梁任公提诉老子时代一案判决书》,文前有作公识语云:“张君寄示此稿,考证精核,极见学者态度。其标题及组织,采用文学的方式,尤有意趣。鄙人对于此案虽未撤回原诉,然极喜老子得此辩才无碍之律师也。梁启超识。”一时学术界传为佳话。后收入罗根泽所编《古史辨》第四册。

先生后任教清华大学,授《楚辞》等课。时陈寅恪先生亦在校中。陈先生素以谋求本国学术独立为职志,致力于中国东方学之建立,要写出高水平的中国通史,曾在国学研究院讲授梵文,搜集满、蒙、藏等文典籍。陈先生尝谓:“如读藏文大藏经,即可知藏族固有甚高之文化。”

1928年,先生从陈先生处获见藏文资料,立志研究西藏学术,从编写藏汉辞书入手。访师求友,孜孜穷年,经过抗日战争时期艰苦岁月,一直坚持不懈。解放后,在地方和中央领导的支持下,继续编写辞典。1958年,以六十五岁高龄,率领编纂组亲赴拉萨,留居三四年。搜集到许多难得资料,扩大了辞典收录范围。十年动乱,先生的身心受到摧残,工作被迫停顿。1977年,先生的呼吁得到中央和地方领导的重视, 编纂工作得以恢复。1979年《藏汉大辞典》征求意见稿三巨册出版了, 受到各方的欢迎和重视。可惜当1983年大辞典修订后付排时, 先生竟因病于9月1日以九十高龄猝逝于成都。1985年7月,《藏汉大辞典》由民族出版社在北京出版。

我和冯玉祥的交往

刘　芳 遗作　曹明贤 整理

1911 年,我任北京亚斯立堂主任牧师时,有一天冯玉祥前来听我讲道,很受感动。连着听了几次,经过和我谈话,他便信了基督教,说:“耶稣是大革命家,他讲贫穷人得听福音,被掳的得释放,被捆绑的得自由;他还责备法利赛人假冒伪善。”又说:“救国必先正人心,除了耶稣谁能正人心呢?”冯信教完全是为了救国救民。这是我和冯认识的开始,他对我很敬重。后来我以教区长的身份,在亚斯立堂主持了一次盛大的洗礼,亲自为冯玉祥施洗。

1922 年,黎元洪继徐世昌之后再次任大总统,在吴佩孚的挑唆下,把冯从河南督军任上调来北京,给以陆军检阅使的头衔,实际上是明升暗降,削其兵权。我曾向黎元洪斡旋,替冯玉祥筹过饷。

1923 年,冯玉祥的前妻刘夫人病故,我曾为之“祝丧”。1924 年 2 月冯续娶李德全(当时任北京基督教女青年会学生部干事),是我用教会的礼仪给他们证的婚。

当时冯玉祥积极响应孙中山先生所主张的联俄、联共、扶助农工的三大政策。他的部队有一些苏联军官代表。张作霖离开北京回到东北，调任冯为西北边防督办，他在张家口街道两旁的墙壁上写满了“打倒日本帝国主义”的标语。

1926年初，北洋军阀直、奉、鲁、皖四系合流，吴佩孚、张作霖、张宗昌、褚玉璞等人连成一气，共同对付冯玉祥，冯愤而通电下野，出国赴苏联考察。

冯玉祥军事上失败，政治上失意，他对基督教的信仰也日趋冷淡，我和他的关系也就疏远了。

后 记

网罗散佚,拾遗记微,期作正史之补,兼充精神文明建设之助,是本书编写的宗旨。

内容以文史为主;时限以清末至1949年为主;文体以白话文为主;史料以亲见、亲闻、亲历为主;题材以介绍天津轶闻为主;稿源以天津文史研究馆馆员为主。这六个为主,是本书组稿的方针。

必有可征,必有可读与必有可鉴,是本书审选稿件的标准。

本书的编写,荷承本馆全体馆员及天津各界文史专家鼎力襄赞,名篇佳作,异彩纷呈。尤多史料珍贵、文笔清新、韵味浓郁之力作。

《毛泽东观海》一文,通过罗章龙老人对人物行动细节之描述,表达出一代领袖青年时期之神韵,实为史料性、可读性俱佳之作,可补史传之遗缺。

馆员刘续亨系旧天津金融界耆老，此次为本书撰稿数十篇，今选刊十篇，史料珍贵，行文严谨，堪称佳作。

馆员陈嘉祥的《周作人被刺真象》，揭示了被隐瞒或误传了五十余年的旧案真象，事实清楚，情节细腻，足可辨误纠讹，恢复历史本貌。

本书在编辑过程中，承丛书副主编吴空同志审阅指导，又蒙特约编审刘北汜同志审阅修订，在此深表谢意。

本书的编辑小组由孙竟宇、王大川、陈嘉祥、王者师、钱钢组成。编者水平有限，编排论次，必多不当，尚祈读者不吝赐正。

编　者